Héctor Gaitán A.

LA CALLE

3er. tomo

DONDE

TU VIVES

2da. edición

Guatemala de la Asunción

LA CALLE DONDE TÚ VIVES T. 3

Héctor Gaitán A.

Diseño de portada: Pablo Tobar Henry
Diagramación: Romeo Hernández T.
Montaje: Carlos Arriaza y José Pineda

© Librerías **Artemis Edinter, S.A.**
© Héctor Gaitán A.
ISBN 84-89452-08-03

> ## HOMENAJE DE GRATITUD A
> ## HÉCTOR GAITÁN ALFARO
> ### 1939-2012
>
> EL HA SIDO LA MEMORIA DE GUATEMALA.
> SUS MILLONES DE LECTORES
> SE LO AGRADECEN POR SIEMPRE.
>
> *El 1 de febrero del 2012 nos dejó para
> seguir contando historias en otra dimensión.*

Impreso en Guatemala por
Litografías Modernas
5ta. calle 18-27, zona 8 de Mixco, San Cristóbal II
Tel. 2478-2770

2013

Librerías Artemis Edinter, S.A.
12 calle 10-55, zona 1. PBX: (502) 2419 9191 Fax: (502) 2238 0866
www.artemisedinter.com
Guatemala, C.A.

PRESENTACION

Héctor Gaitán ha estado recogiendo fotografías y leyendas guatemaltecas desde que tenía quince años. Esas imágenes color sepia, esos relatos cargados de nostalgia, siguen ejerciendo todavía la misma fascinación sobre el autor de este libro. Y no únicamente sobre él, a juzgar por la forma en que el público guatemalteco ha agotado las ediciones de los volúmenes anteriores de **La calle donde tú vives.** Hoy, la nostalgia es un sentimiento ampliamente compartido. Todos deseamos retener de alguna forma un mundo que se nos va con demasiada prisa. Hoy el tiempo se mide por décadas y no por siglos, la vida se transforma radicalmente, varias veces en el lapso de la vida de un ser humano. Cinco o diez generaciones nacieron y crecieron bajo un mismo techo en el pasado, pero en este siglo todo cambia en pocos años. La calle donde vivimos tiene una historia que no conocemos, porque acabamos de llegar a esa calle. Quienes vivieron aquí hace veinte o treinta años, se han ido a otro lado, cuya historia tampoco conocen. Por eso es necesario recoger el pasado para hacerlo presente. Hace un siglo un libro como éste hubiera carecido completamente de sentido, no hubiera tenido lectores, porque la historia cotidiana era también parte del presente cotidiano. Los pequeños acontecimientos se transmitían de una generación a la siguiente. Los lugares eran siempre los mismos, el pasado formaba parte del presente en la memoria común. Hoy, por el contrario, el registro de lo sucedido es una especialidad, una ocupación aparte, incluso una ciencia. La comunidad se ha vuelto desmemoriada, los hijos ya no aprenden de los padres. Los lugares que conocimos hace diez años ya no existen, el pueblo en que nacimos quedó atrás. La conciencia del pasado no forma parte de nuestro bagaje intelectual. ¿Cómo era ese mundo, no tan lejano, en el que no había electricidad, ni automóviles, ni radio, ni televisión? ¿Cómo eran nuestros abuelos o nuestros padres? ¿Qué pensaban, de qué hablaban...?

Este libro nos habla de ese pasado. Vemos a los guatemaltecos de hace cincuenta años en la fotografía de una manifestación y nos preguntamos qué hay de extraño en esa imagen. Tardamos un poco en darnos cuenta que lo que nos ha llamado la atención es que no hay nadie en mangas de camisa. Escribimos la frase anterior y nos damos cuenta de que la expresión "en mangas de camisa" ni siquiera tiene sentido en estos días. Esos cambios imperceptibles, que nunca consignan los libros de

3

texto en los que estudiamos la historia, son la materia y el tema de este libro. Todo ese mundo cotidiano irrecuperable de las modas, los hablados, las consejas y las preocupaciones es el que Héctor Gaitán está empeñado en rescatar. ¿Por qué? Es difícil decirlo. Probablemente obedece menos a un razonamiento que a una emoción, a una necesidad de cobrar conciencia de las raíces. Una emoción tan irracional como el sentimiento de pertenencia a un lugar y a un conglomerado. Irracional, pero igualmente real; real e inaprehensible como el carácter nacional de los guatemaltecos.

Las luchas sociales, los dictadores y los delincuentes, las actrices y los militares, las cárceles y los parques ya desaparecidos, todo esto que fue Guatemala, sigue siendo parte de lo que somos. De alguna manera estas imágenes nos dan la clave de lo que somos. Esto es lo que entendió Miguel Angel Asturias, cuando fundió en una genial amalgama estos materiales en **El Señor Presidente**. Esto es lo que intuye también Héctor Gaitán. Esa intuición de la relevancia de estos recuerdos lo impulsa a coleccionarlos y transmitirlos. Yo deseo que Héctor Gaitán viva muchos años y siga publicando libros como éste, que forman parte de la memoria colectiva de los guatemaltecos.

Mario Solórzano Foppa

Guatemala, octubre de 1974

TERCER ESCALON

Escribíamos hace ya casi veinte años, que llegábamos al tercer escalón en este caracol de gradas que forman los obstáculos para escribir en Guatemala. Afortunadamente ya no podemos decir lo mismo; la obra **La calle donde tú vives** se ha enriquecido con cinco tomos más, incluyendo el presente libro. Colección ampliamente reconocida a nivel nacional e internacional por la aceptación que ha tenido en el público lector. En una entrevista que nos hicieran recientemente, nos preguntaban algo en torno al anecdotario de los libros que hemos escrito; es decir, anécdotas al estarlos escribiendo, que siempre hay. Claro que este libro es el que más tiene y a nuestro entrevistador le comentamos una que aparece en esta obra y que forma parte de nuestra pequeña historia.

Aparte de las leyendas, que son la sangre vital de estas obras, las tradiciones y el costumbrismo de nuestro pueblo, creo que el enfoque en algunos temas es eminentemente periodístico, especialmente con las entrevistas que aquí se plasman y que de primera mano, en algunas ocasiones, las recogimos de personas generosas, en alguno de los casos que ya fallecieron y otras que aún viven para corroborar los hechos. Personas que dejaron aquellas experiencias vividas en un pasado ya histórico y lejano, dependiendo el papel que les tocó representar en la vida. Tradición oral irrecuperable, si no la tomamos a tiempo para plasmarla en este libro, hoy corregido y aumentado con otros elementos que en el transcurso de los años se han dado y que ustedes irán descubriendo en estas páginas.

Vale resaltar en esta ocasión todo el apoyo que en 1974, cuando apareció este tomo, recibimos y nos brindara el desaparecido y joven periodista Mario Solórzano Foppa, quien fue el autor del prólogo. Otra anécdota, diríamos, de todo este proceso literario en el cual todavía estamos inmersos. Hoy la Editorial Artemis-Edinter, junto a su gerente general, Jesús Chico García, retoman la tarea de elaborar la segunda edición de la obra con el profesionalismo que les caracteriza. Honestamente, esperamos que el esfuerzo realizado en esta obra sea aceptado por quienes generosamente nos leen, y así quede completa la colección de los primeros cinco tomos de **La calle donde tú vives**, como todos lo esperaban.

El Autor

Nueva Guatemala de la Asunción, 18 de julio de 1993

DEDICATORIA POSTUMA

A Miguel Angel Asturias,
hasta su exilio inmortal.

EL CERRITO DEL CARMEN
Y SUS LEYENDAS

El sol caía verticalmente sobre los árboles y cabezas de los visitantes. El anciano ya no pudo seguir caminando y tomó asiento en el torreón frontal del templo colonial, que alberga a la Virgen del Carmen. La niña siguió correteando por el contorno cuando ya se había soltado de la mano del abuelo, quien sonrió débilmente después de la proeza de haber subido la pendiente. Se quitó el sombrero y secó el sudor de la frente con su pañuelo blanco, para posteriormente aflojarse la corbata. A lo lejos el ruido característico de la gran ciudad, con su tráfico contaminante que cual hormigas invadía calles, callejones y avenidas. San Francisco continuaba señalando hacia la ciudad, como condenando la nube gris de *smog* que se formaba en la parte central de la metrópoli, como señalando el daño para sus hermanos árboles y hermanos pájaros. Dos gringos tomaban fotos al frontispicio del templo y sonreían coloradotes por el sol inclemente.

La calle Juan Chapín ya no era la silenciosa de antaño, ahora lucía asfaltada y con un cordón de autos esperando vía para desembocar por el antiguo "Callejón del Judío" y salir a la 12 avenida. El abuelo vio el contorno y recordó tiempos mejores, de lo que había acontecido hacía ya muchos almanaques. Recordó los carnavales de antaño y los atardeceres románticos que se disfrutaron en los tiempos anchos. sonrió picarescamente cuando memorizó el sitio donde se ubicó la legendaria "Cantina La Colocha", donde se expendía el blanco y las cuartitas del preparado de manzanilla y durazno. Allá en lontananza, los barrios de La Parroquia y la Candelaria, donde puyaban con caña si uno se descuidaba. El Guarda del Golfo y el Puente de Las Vacas. Bastaba girar sobre los talones para localizar viejos sitios de la ciudad: La Pedrera, el Hipódromo o la "Calle Nueva", hoy convertida en Calle Martí. El Potrero de Corona, que ya no existe, y el parquecito Isabel la Católica, con el vivero cercano de don Marianito Pacheco.

La niña regresó jadeante y sonriente y se inició el interrogatorio:

— ¿Quién hizo este templo, abuelito?

Héctor Gaitán

— Fue el ermitaño Juan de Corz, en el año de 1620 y allí colocó a la virgencita del Carmen, que la había traído de Europa. De eso hace ya tantos años que ni yo había nacido, fue mucho antes que se fundara la ciudad en este valle de la Ermita o de la Virgen. Primero se refugió a inmediaciones de donde hoy está el Puente de las Vacas, en un sitio conocido como "Cueva de la leonera", y posteriormente dispuso levantar el templo en este sitio que es tan bello.

— ¿Espantan aquí, abuelito?

El anciano sonrió nuevamente y en realidad no hallaba como salir del trance que le presentaba con su pregunta la niña. En el momento por su mente surgieron las leyendas que de niño había escuchado, los casos que él había conocido.

— Bueno, aquí hay mucha historia y leyenda. Se dice que en este lugar existió un enorme árbol donde ahorcaron a Pie de lana, el personaje de la obra de don José Milla que algún día leerás y comprenderás en mejor forma. Dicen que era un hombre que robaba a los ricos para darle a los pobres y fue su propio hijo el que lo capturó y el que dirigió su ejecución. Una historia triste pero que es parte de la leyenda y narrativa de Guatemala. No te muestro el árbol porque lamentablemente ya desapareció. Pero había algo muy especial en relación a los espantos que por aquí aparecían. Estos eran los famosos chompipes del Cerrito del Carmen, que asustaron a más de una persona. Mi abuelo contaba que como él era mero enamorado, una noche que venía del barrio de la Parroquia, para ahorrar camino, subió por aquí y fue víctima de los mentados chompipes, que se aparecían cuando uno menos lo pensaba, sin permitir el paso a las personas. La gente tenía que regresar porque salían uno, dos y hasta tres o cuatro animales que le tapaban el paso. Cuentan que allá por el año de 1898 ya nadie se atrevía a pasar por aquí en horas de la noche. Donde ahora aprecias el Barrio Moderno, allá abajo en la zona 2, desde las faldas del cerro hacia el norte se extendía el que fuera Potrero de Corona, era un sitio muy bonito, donde por las noches y a veces a plena luz del día salía la mula sin cabeza.

— ¿Y cómo era la mula sin cabeza?

El abuelo ubicó su vista en el Barrio Moderno, en el sector norte de la ciudad, y titubeó un poco antes de responder:

8

LA CALLE DONDE TU VIVES

— Eso fue allá por el año de 1905 cuando se regó la bola de las apariciones de la mula sin cabeza. Fue el tiempo cuando las sangrientas guerras entre Guatemala y El Salvador. Proliferó la delincuencia ya que los efectivos de seguridad se encontraban precisamente a lo largo de la frontera guatemalteco-salvadoreña, defendiendo la soberanía nacional o, lo que era más seguro, como decían los exiliados chapines, defendiendo al régimen de don Manuel Estrada Cabrera, en ese tiempo presidente de Guatemala. Pero lo más curioso de todo era que la mentada mula sin cabeza tiraba un viejo carretón y se desaparecía por la calle Juan Chapín; unos le deban el calificativo de espanto y otros aseguraban que eran contrabandistas que de esa forma entraban su mercancía a la capital procedente del Golfo Dulce, lo que ahora es Puerto Barrios. Pero había algo más en torno a los cuentos de espantos y aparecidos del Cerrito del Carmen, estos eran los encantos del Potrero de Corona. Desde aquí donde estamos, algunos patojos de aquella época miraban cómo otros niños les llamaban desde abajo y les mostraban pelotas de bellos colores. Cuando estos bajaban ya no había nadie y las abuelas indicaban que posiblemente era algún encanto y prohibieron a los patojos quedarse a jugar después de las seis de la tarde en este sitio.

El abuelo ya se había quitado el saco y lo llevaba en el brazo; el calor era más impactante a esa hora. El ruido monótono de la ciudad continuaba a los lejos, el anciano hubiera querido abarcar toda la narrativa relacionada con el Cerrito del Carmen, para relatarla a la niña. Al anciano se le agolpaban los recuerdos, las consejas y leyendas que de niño había escuchado de aquel sitio tres veces centenario, de las cofradías de Chinautla que llegaban en días grandes, con sus respectivas capitanas en la época colonial.

Mucho recordó el anciano, las solemnes misas el 16 de julio de cada año, la procesión de la Virgen por los alrededores del cerro y el tañir de la campana recordando la hora de la oración, en esos años eternamente silenciosos y extremadamente inocentes.

— ¿Me podés contar algo del Sombrerón?

— Claro que sí, del Sombrerón, de la Llorona, el Cadejo y la Siguanaba, como que aquí fue la mera casa de estos entes del mal. Cuentan que el Sombrerón perseguía a las jovencitas de pelo largo, la Siguanaba se le aparecía a los hombres enamorados o cantiniadores y el Cadejo, según los comentarios de las personas mayores, era el que cuidaba a los que empinaban el codo más de la cuenta, es decir a los bolitos. Pero hay algo que ahora precisamente estoy recordando del Sombrerón, allá por el año de 1916. Han de estar y estarán que por la Calle de las Túnchez vivía una patoja muy guapa, llamada María del Rosario. Esta muchacha tenía un novio que presumía ser de una familia de abolengo, no así ella, que era humilde, pero eso sí, muy honrada, buena, abnegada y muy bonita. Bueno, pues los padres del muchacho se opusieron a las relaciones sentimentales de la pareja y, es más, lo mandaron fuera de Guatemala. Por cierto que María del Rosario se puso muy triste y por las tardes venía a meditar al Cerrito del Carmen. Ya cuando eran más o menos las cinco de la tarde, regresaba a su casa muy triste y recordando al novio, que se llamaba Rodrigo. Una tarde, cuando estaba viendo al horizonte, quizás pensando en el tal Rodrigo, se le apareció un hombrecito como del tamaño de un niño de cinco años, con sus botas bien lustradas, chaleco y pantalón negro, camisa blanca impecable y un enorme sombrero. Ella lo vio y sonrió con el desconocido, le pareció graciosa la figura del supuesto niño y principiaron a conversar. Lo único que no le gustó al hombrecito fue el primer nombre de la patoja: María, ni mucho menos del Rosario, pero él le dijo que no mencionara su nombre y que iban a ser muy buenos amigos. En las tardes posteriores se siguieron viendo, la joven continuó llegando al cerrito, con el afán de ver al hombrecito que le atraía.

Te cuento que María del Rosario tenía un pelo hermoso que le llegaba hasta la cintura. Una tarde, el hombrecito le prometió que en futura ocasión le haría unas trenzas que adornarían más su belleza. Ella tomaba a broma todo lo que el pequeño ser le indicaba; más bien sentía que al platicar con aquel personaje olvidaba momentáneamente a Rodrigo. En otra ocasión, el hombrecito llevó su guitarra y le cantó bonitas canciones que ella escuchaba muy atenta. Así pasaron los días y una noche le dijo que llegaría a su casa cuando sus padres ya se hubieran dormido y le llevaría una serenata. María del Rosario aceptó encantada y le prometió esperarlo. Afortunadamente, el padre de la joven, don Rosendo, no se durmió y pudo escuchar aquella serenata, pero cuando salió al balcón se llevó el gran susto al ver que el Sombrerón le llevaba serenata a su hija. "Es el Sombrerón", dijo don Rosendo, "porque viene con sus dos mulitas y tengo que actuar de inmediato, de lo contrario el Sombrerón se gana a la patoja". Total que el hombrecito se fue y la muchacha se quedó profundamente dormida.

LA CALLE DONDE TU VIVES

Desde ese instante los padres de María del Rosario vigilaron más a su hija y una tarde la siguieron hasta el cerrito del Carmen, lugar donde platicaba con el Sombrerón. Por supuesto que cuando le siguieron los pasos, ya habían hablado con el padre de la iglesia y con una ancianita que llevaría un chicote para espantar al mentado Sombrerón. Tanto los padres de María del Rosario como la ancianita y el padre de la iglesia, esperaron el momento propicio para pillar al hombrecito y chicotear el suelo en cruz, con el afán de espantar al Sombrerón y así dejara en paz a la muchacha. Así lo hicieron, y cuando el padre roció de agua bendita al hombrecito, éste salió corriendo rumbo al Potrero de Corona, hasta perderse en el bosque que allí había, dejando un fuerte olor a azufre en su escapada. María del Rosario se desmayó del susto y felizmente el Sombrerón no le hizo las trenzas que le había prometido, porque de lo contrario nadie se hubiera casado con ella. Porque dicen las viejas leyendas de Guatemala, que a la mujer que ha trenzado el Sombrerón jamás se casa.

La niña continuaba escuchando los relatos de su abuelo, ahora sentados bajo la sombra de un frondoso árbol, el viento refrescaba el ambiente y los gringos seguían tomando fotos de diferentes ángulos de la estructura colonial del templo. El abuelo, desde el lugar de los hechos, narraba pormenorizadamente a su nieta los cuentos de espantos y aparecidos. Los sucedidos en ese cerrito tan tradicional y chapín.

— ¿Y la Siguanaba a quién le salió?

— Eso le sucedió a don Melesio Martínez, viejo marranero del barrio de la Candelaria, allá por el año de 1925 y fue precisamente para un carnaval. Bueno, no te lo había contado pero antiguamente este era un sitio especial donde se jugaba el carnaval. Aquí se daba cita la sociedad guatemalteca, para quebrar los cascarones y lanzar confeti, eran otros tiempos, con gente más educada, más comedida y respetuosa. Bueno, pues el Melesio, aquel domingo de carnaval, se puso su mejor traje, compró su bolsa de cascarones y se encaminó solitario al Cerrito del Carmen. Aquí había quedado de reunirse con unos amigos, también del mismo oficio, pero estos no acudieron a la cita y se quedó solito, sentado allá donde está aquella enredadera. Como estaban en pleno carnaval, de pronto pasaron unas muchachas y le quebraron unos cascarones a Melesio, este respondió de la misma manera y finalmente terminaron haciéndose amigos. Entre el grupo había

11

una joven de nombre Ruperta del Cid, originaria de Palencia, blanca, alta y muy guapa. Total, que el Melesio fue todo atenciones para la mujer y finalmente acompañó al grupo de mujeres hasta donde vivían, que no estaba lejos de este lugar. Pero el muy pícaro se quedó platicando con Ruperta y quedaron de verse el otro domingo en el mismo sitio. Para no hacerte largo el asunto, te diré que con el paso de los días se hicieron novios y el sitio donde quedaban de verse era aquí, en el Cerrito del Carmen. Una tarde, Ruperta le indicó a Melesio que ese domingo llegaría un poco tarde, pero que siempre la esperara. Así lo hizo el marranero, pero pasaron las horas y la tal Ruperta no se asomaba ni por ilusión.

Total, que entró la noche y el cerrito se fue quedando silencio, pero Melesio esperaba a la mujer de sus sueños, sin apartarse del sitio indicado, del punto de la cita. Ya sólo los grillos se escuchaban, las luces de la ciudad principiaron a encenderse y de pronto, allá de por el Potrero de Corona, vio el marranero que una mujer avanzaba hacia donde él estaba. Menos mal, dijo Melesio, que no esperé por gusto. La mujer continuaba caminando en dirección a donde estaba el hombre de nuestro relato. Este se arregló una vez más el pelo y la corbata; era ella, pensó para sus adentros, no había duda. Pero cuando la mujer estaba más o menos a unos tres metros de distancia, vio que se tapaba la cara con un velo casi transparente. ¿Sos vos, Ruperta...? preguntó el marranero a la dama y ésta solo asintió con la cabeza, luego dio media vuelta y comenzó a caminar, y naturalmente que Melesio la siguió. La extraña mujer tomó camino rumbo al Potrero de Corona, donde ni las manos se miraban porque no había luz y solamente apenas el reflejo de la luna alumbraba el camino. Lo extraño del caso era que la mujer parecía que no tocaba el suelo y mientras más caminaba, Melesio corría atrás de ella, sin poder darle alcance. Ya muy cansado, Melesio le gritó indicándole que por favor no fuera tan aprisa. A todo esto ya habían llegado a un enorme zanjón de aguas negras que allí se formaba, justamente en la orilla de aquel precipicio. Melesio le suplicó a la mujer una vez más que no caminara tan rápido, pero como paró violentamente el viento le levantó el velo de la cara y el pobre marranero pudo ver que en lugar de rostro tenía una enorme cara de caballo. El grito de Melesio se perdió por los alrededores del Cerrito del Carmen y no fue hasta el otro día, cuando unos hombres lo encontraron en el fondo del barranco, todo arañado y herido por los golpes recibidos en la caída al zanjón. No había equivocación, decían las ancianitas del barrio, pero al mentado Melesio por poco y se lo gana la

LA CALLE DONDE TÚ VIVES

Siguanaba. Yo tuve la oportunidad de conocer al marranero de nuestro relato y él me contó personalmente esta aventura con aquel ente del mal, llamado la Siguanaba.

La niña continuaba entusiasmada con los relatos del anciano, observando todos y cada uno de los sitios del Cerrito del Carmen. Aquellas narraciones cautivaban a la nieta, mientras el abuelo tomaba aliento para recordar otras anécdotas. A todo esto, ya algunos niños, al ver los ademanes del anciano, se fueron acercando para escuchar más de cerca los importantes relatos de los aparecidos y espantos del Cerrito del Carmen. Un patojo barrigón y con pantalón de tirantes, aprovechando un descanso en los relatos del anciano, le comentó que su abuela también le había contado muchas leyendas, pero le suplicó que narrara algo del Cadejo. El viejito se acomodó lo mejor que pudo, vio de soslayo a la nieta y le comentó, soto voce:

— Hoy como que tenemos más público, mija.

Luego de ver los rostros infantiles, prosiguió:

— Ahhh el famoso Cadejo, fue al difunto de don Delfino Galicia, a quien le salió precisamente allí, en la esquina del Callejón del Judío y la Juan Chapín, muy cerca de aquí. Don Delfino era buen imaginero, de los de antes, pero lamentablemente le gustaba la cucharada, ustedes me entienden, y por consiguiente cuando no estaba de goma andaba bolo, al extremo que dejó el chance y hasta abandonó a su familia por el vicio del guaro. "Ve mija", le decía a la mujer, "te prometo que ya no vuelvo a tomarme un trago porque ya me está dando miedo". Pero qué va, el pobre de don Delfino volvía a las andadas, hasta que finalmente se le miraba por las calles pidiendo para el traguito, todo sucio y harapiento. El lugar donde dormía la mona era precisamente aquí, en el Cerrito del Carmen, donde en el tronco de un árbol había construido una su casuchita de papel y cartones viejos. Aquí dormía y hasta hacía su café en las mañanas, con los chiribiscos que juntaba para hacer el fuego. Una tarde venía más allá que de acá, con varios tragos entre pecho y espalda, caminando cinco pasos para adelante y unos diez para atrás. Bajó por toda la cuarta calle y enfiló por el Callejón del Fino, rumbo a su casita de cartón, que como ya les dije estaba aquí en el Cerrito del Carmen. Pero como ya los efectos del licor hacían estragos en su humanidad, cayó de bruces justamente en esa esquina de la cuarta calle y

Héctor Gaitán

Callejón del Fino. Cuando despertó ya pasaban de las once de la noche y el silencio era absoluto. Trató de incorporarse, pero le era imposible como consecuencia de la borrachera; poco a poco se fue levantando y apoyándose en uno de los balcones, lo logró.

Tratando de orientarse, vio hacia el norte, a lo largo del callejón y observó que pocas cuadras le separaban de su pequeña guarida. Calculando dar el primer paso estaba cuando pudo apreciar que un perro negro había estado echado a su lado durante el tiempo que permaneció tirado. De inmediato el perro se incorporó, se sacudió y conforme don Delfino daba sus primeros y tambaleantes pasos, el animal le siguió. Por aquellos años de 1925, el alumbrado en las calles era escaso y en algunas calles y avenidas no existía. Comentaba don Delfino que el perro de nuestra narración con sus ojos alumbraba el camino, ya que estos parecían dos brasas. El perro era grande y extremadamente peludo, de color negro y, algo más, al caminar, las pezuñas al chocar con el suelo daban la impresión de sonar como cascos de caballo. Don Delfino siguió caminando, temeroso de caer otra vez, y el perro caminando a su lado, sin dejarlo un momento. Cuando emprendía el ascenso al Cerrito del Carmen, el perro aún le seguía. Finalmente llegó a su casuchita de papeles y cartón y allí se quedó tendido durmiendo por el resto de la noche. Una tarde, cuando no tenía para el trago, decidió vender al perro que tanto le seguía y sabiendo que había un señor que compraba perros para revenderlos a los finqueros, llegó con él y se lo ofreció. El comprador de perros le preguntó por el animal y don Delfino le decía que allí estaba junto a él, pero el futuro comprador no lo miraba, sólo don Delfino era el único que tenía el privilegio de verlo. "Lo muy menos usted está viendo visiones", le dijo el comprador, pero don Delfino insistía en que el perro allí estaba. Finalmente se retiró y el perro negro siguiéndole. Una tarde recogieron a don Delfino moribundo en una de las calles cercanas al Cerrito del Carmen y el perro efectivamente había desaparecido. Fue el propio don Delfino quien narraba el hecho, y con base en personas que le conocieron y le escuchaban hablar solo, llamando a un perro que sólo él miraba, cayeron en la cuenta que el perro que siempre anduvo con él en sus correrías y borracheras no era otro que el propio Cadejo.

El abuelo se levantó con mucho trabajo del sitio donde estaba sentado con la niña, los patojos tomaron cada quien por su lado, los gringos ya no estaban tomando fotos, al filo de la una de la tarde todo parecía más silencioso. Tomaron por una vereda para

14

LA CALLE DONDE TU VIVES

llegar a la 12 avenida, el escenario de los espantos y aparecidos iba quedando al margen. El abuelo sonreía al ver cómo los patojos corrían bajando a zancadas la falda que da a la avenida Juan Chapín. San Francisco seguía señalando al centro de la ciudad y el viejo templo, con sus troneras y estilo muy especial de fortaleza y proa de carabela, quedaba allí como un mudo testigo de leyendas, historias y cuentos de antaño. El abuelo, de vez en cuando, durante su descenso del cerrito, volteaba a ver como queriendo distinguir al Sombrerón, la Siguanaba o el Cadejo en los caminos sinuosos del cerrito. La niña iba muy ufana de la mano de su abuelo, dando vida en su mente infantil a esos personajes imaginarios o reales quizás, que son parte de nuestra cultura, tradiciones y leyendas.

Gráfica de principios de siglo del templo católico del Cerrito del Carmen, de la ciudad de Guatemala.

15

EL MISTERIO DE LOS ATAUDES

Don Simón era el prototipo del clásico empleado de funeraria antigua, pues tenía una planta de drácula que no podía con ella. Alto, flaco, con una voz especial y grave, que al inflexionarla le daba cierto sabor a sus narraciones. Don Simón vivía en una casona donde se alquilaban piezas, y después de las labores diarias, antes de la comida, reunía a todos los patojos del palomar para contarles cuentos de espantos y aparecidos, como solo él sabía hacerlo, narrando los pasajes de miedo a las mil maravillas. Todos los patojos íbamos poniendo atención a cada frase que don Simón iba hilvanando.

—No estoy para contarlo —decía— ni ustedes para creerlo, pero para que vean lo que son las cosas, no hay que creer ni dejar de creer. Allá en el taller han sucedido últimamente cosas meras raras, meras feyas, que hasta ya me está dando miedo. Pero no hay más remedio que seguir trabajando allí, porque yo nací entre cajas de muerto y en una caja de muerto me han de enterrar algún día. Bueno, resulta que desde hace como unos tres meses para esta parte, cuando más silencio está todo, cuando ya los carpinteros han terminado de barnizar algunos ataúdes y éstos son colocados en la bodega, más de alguna de las cajas comienza su tronidito tan especial y feyo que me pone en qué pensar. Lo peor del caso es que a la media hora entran algunos dolientes de algún recién fallecido a preguntar por el precio y medida de los ataúdes, y no me lo vayan a creer, pero se llevan la del tronidito, quién sabe porqué razones.

Aquellas leyendas o historias que nos contaba don Simón en el año de 1947 fueron quedando como para recordarlas siempre. Como recuerdo a don Simón, con su traje negro, su corbata con el nudo torcido, pantalón de ruedo ancho y valenciana doblada. Siempre que cruzaba las piernas lo hacía con tal facilidad debido a lo flaco de su cuerpo y piernas huesudas. Me imagino verlo fumando su cigarrillo vaquero, chupando la colilla con sus pómulos saltones y ojos desorbitados.

El bueno de don Simón falleció hace ya algunos años, y muchos de los patojos —ya hechos hombres que vivimos en aquel palomar— acudimos a su entierro. El tiempo siguió su marcha y en cierta ocasión, una tarde que tenía que hacer una llamada telefónica de urgencia, no hubo más que llegar a la vieja funeraria donde don Simón laboró por muchos años. Entré al establecimiento y al momento una señorita me atendió muy atenta, imaginando, creo yo, que iba a solicitar algún servicio funerario. Pero cambió de expresión cuando solamente le solicité el teléfono, me atendió y prosiguió trabajando en su escritorio. Mientras trataba de tomar línea, vi hacia el fondo de la fábrica de ataúdes y allí estaba la bodeguita de la que tanto comentaba don Simón. A un lado, en una mesa, estaba sentado un anciano medio calvo con los anteojos caídos sobre la nariz. Al fondo una pila de cajas mortuorias y otras pequeñas para restos humanos, así como unas blancas para niños. Finalmente entró la llamada y, conversando, me olvide de todo lo que había a mi alrededor. Finalizó la breve conferencia, colgué el auricular y me disponía a cancelar el precio del servicio, cuando el viejito del fondo me dijo casi en voz baja: "¿No escuchó el ruido de la caja?". No, respondí en el acto, agregando: quizás el ruido de las camionetas no me dejó escucharlo, repliqué amablemente. El teléfono sonó nuevamente, el anciano me suplicó que esperara un momento ya que la chica que atendía había salido y no había quién diera el vuelto del billete de a un quetzal. Me quedé viendo los ataúdes, había de diferentes precios y por momentos medité en el final de la materia y el principio del espíritu; recordé las leyendas y cuentos de espantos que había escuchado de niño. El anciano colgó el auricular y con una sonrisa de satisfacción me dijo: "Yo nunca me equivoco, siempre que truena alguna caja de la bodega es venta segura o, quiero decir, muerto seguro". Regresó la señorita, me dio el cambio del billete y abandoné la pequeña funeraria, recordando de inmediato a don Simón y su famosa leyenda del "Misterio de los Ataúdes", una fascinante leyenda que pudo haber sido realidad.

En uno de aquellos nichos quedó sepultado don Simón, protagonista de una historia que sólo él supo si fue fantasía o realidad.

EL ENANO

Entre aglomeraciones, gritos y palabras subidas de tono, el Mercado Sur número 2, conocido como la "Placita Quemada", ofrecía una variedad de frutas, legumbres, pescado, carnes y otras mercaderías. Allí, como una inquilina más, estaba doña Nieves, madre de Rafael (el Enano), con su canasto de frutas. Eran los tiempos de la escuela pública, el enano perdía en todas las clases, menos en geografía, era un apasionado en dicha clase y se vanagloriaba de conocer ampliamente el departamento de Guatemala, con sus aldeas, ríos y demás sitios. Era buen organizador de capiuzas y líder en su grupo.

Cuando la nostalgia de la niñez llega de vez en cuando, viene a la memoria la imagen de Rafael, conocido como el Enano. Pequeño de estatura, pelo liso y rebelde, poseía una intuición extraordinaria. De ojos pequeños y vivaces, parecía que no miraba, pero era todo lo contrario. Cuando por alguna razón sabía que llegarían a la escuela a poner la consabida inyección a todos los patojos, esperaba a los de su grupo y les manifestaba que no entraran, porque nadie se salvaría del puyón. Allí se organizaba la capiuza, se mocionaban lugares para pasar el resto de la mañana, quizás el Cementerio General o el predio de Luna Park, donde estuvo el Castillo de San José, o bien el Parque Navidad, hoy parte del complejo del Centro Cívico de la ciudad. Con el pares o nones, se dilucidaba el sitio de la capiuza; regularmente siempre ganaba el enano y él disponía el lugar. Aquel grupo se hizo famoso en la Escuela República del Perú y estaba integrado por Rafael el Enano, Arturo el Flaco, Arnaldo, Tonito, el Gato y el Negro. El sitio preferido era uno de los puntos del interior del Cementerio General, donde se resbalaban con las vainas de corozo en la Calle de los Cerritos. Pero naturalmente, no podíamos capearnos sin llevar nada y era el enano quien llevaba el dinero.

Cuando llegamos a la esquina de la 20 calle y 6a. avenida de la zona 1, a una señal del Enano nos quedamos esperando mientras el muy ladino entraba al mercado a robarle unas cuantas frutas a la madre y en un descuido le sacaba del delantal un billete de a quetzal. Los conocimientos profesionales del Enano se ponían de manifiesto en aquella operación, y a veces lo hacía con otras inquilinas que no se daban cuenta del proceder del patojo. Cuando lo veíamos regresar triunfante de su odisea, desde lo más profundo de nuestra mentalidad infantil, admirábamos su valor y sangre fría para la realización de sus actos. Todo se hacía sin que doña Nieves se diera cuenta y el asunto tomaba visos de espectacularidad si tomamos en cuenta que no era precisamente "cajonazo", era "bolsazo", lo que implicaba mayores conocimientos en la "acción".

El tiempo, que pasa inexorable, nos fue separando y cada quien fue tomando diferentes caminos; otros sucumbieron antes de tiempo, es decir, en la plenitud de la vida: Arnaldo murió como han muerto muchos guatemaltecos, por el delito de pensar distinto, por decir no a un sistema que no era el suyo. Caso contrario el de Arturo, que marchó a los Estados Unidos, se hizo ciudadano norteamericano, y como es común en el poderoso imperio, tuvo que hacer su servicio militar, tocándole infortunadamente participar en la guerra del Viet Nam y allá quedó en una tumba olvidada. El famoso Flaco se perdió de vista, jamás le volví a ver. El Payaso buscó la puerta falsa del suicidio por el engaño de una mujer que no cumplió el pacto. Tonito en la actualidad es un obeso empresario dueño de transportes y dos fincas. Por su parte, el Gato envejece prematuramente, consumiendo su materia al rociarla con alcohol, toma más de la cuenta y parece un hombre de setenta años. El Negro, por su parte, anda por allí queriendo superar sus frustraciones de político empedernido, con dos atentados casi mortales, pero dice que la próxima es la vencida y que en el otro período la diputación la gana. ¿Y el Enano? La última vez que lo vi me dejó de una pieza. Por razones muy especiales, nos encontramos en el segundo cuerpo de la policía, él consignado y yo..., pues aún no se había presentado mi recurso de exhibición personal y estaba en el avispero, pero todo se dilucidó cuando me pasaron a la general, después de haber "dormido" en la "cuatrocientos".

Allí vi al Enano con un grupo de no muy recomendables "astillas", habían pasado los años y desde la época de las capiuzas no nos habíamos visto, me escudriñó con sus pequeños ojos y, sentado en el suelo donde estaba, me saludó:

—Qué pequeño es el mundo, venite para acá...

La sonrisa del enano aparentemente era la misma, aunque había perdido aquella expresión infantil de los años pasados, esa que el hombre no pierde aunque se haga viejo.

—¿Por qué estás aquí?— fue mi pregunta, la pregunta

que todos se hacen en el presidio, se conozcan o no.

—Por robo— dijo secamente el enano, y como increpando una responsabilidad a la sociedad que para él yo representaba, agregó:

—¿Acaso no leés los periódicos? Vos que escribís tenés que estar más enterado, me dedican una primera plana y titular completo, así con letras grandotas: "¡Cae el Enano y su Pandilla!"

Ante aquel recibimiento, la verdad que el Enano me bajó la guardia, ya casi me retiraba para evitar el diálogo molesto que yo al principio imaginé un saludo cordial, daba la vuelta cuando se acercó y poniéndome la mano en el hombro, prosiguió:

—Perdoná, para demostrarte que sigo siendo cuate y muy derecho, venite con nosotros, aquí hay trama. ¿Sabés?, tengo una güisa chévere que talonea en la quinta y todos los días me manda buen barco.

El grupo de maleantes que le hacían rueda al Enano lanzó una carcajada. Uno de ellos, de pelo liso y que trataba de asentárselo con una gorra de lana, ripostó:

—Jefe, no hay que ser, no le hable así, no ve que el chavo no entiende el caliche...

El Enano finalizó: —Este es más fregado que vos, nació en la zona 5 y se la sabe de todas.

La risa de los largos invadió el ambiente; los gritos del encargado las silenciaron, estaban llamando por lista para ir al juzgado.

El tiempo nos alejó nuevamente, el Enano se perdió de vista y yo salí de Guatemala por tiempo indefinido. Una mañana fría y muy lejana caminaba por la ancha avenida de San Juan de Letrán, hoy Eje Central Lázaro Cárdenas de la ciudad de México, cuando divisé un microbús con algunos turistas que compraban postales en la oficina de correos; entre aquel grupo iba el Enano y otros guatemaltecos. Ahora le noté cambiado, parecía un ejecutivo en viaje de vacaciones, ya no rodeado de la "mara" de siempre. Anteojos oscuros, camisa floreada de seda, pantalón ceñido al cuerpo y zapatos con suela de espuma. Sinceramente me alegré de verlo, ahora en buena compañía. El fue el primero en saludarme y a la vez invitarme para que les acompañara a conocer puntos importantes de la ciudad de México.

Por primera vez puse en juego mis conocimientos de guía turístico: el Enano me daba aquella oportunidad. Fuimos a la Villa de Guadalupe, visitamos el zócalo y el Palacio Nacional, la Catedral, los portales y posteriormente el viaje infaltable al zoológico de Chapultepec. Después de un suculento almuerzo donde "La Chuy", en las inmediaciones de "Obrero Mundial", continuamos con el "Tour" y la tarde la destinamos para que los visitantes hicieran compras en el Mercado de la Lagunilla, en pleno centro del Distrito Federal. Allí había algunos turistas norteamericanos y europeos que muy quitados de la pena, compraban y mostraban los fajos de billetes. Al Enano se le iban los ojos llenos de codicia al ver el dinero, y pensé que aún la tentación no le dejaba en paz y recordé los "cajonazos" en el puesto de la madre allá en la Placita Quemada. Por la noche y mientras comprábamos unos boletos para la función en el teatro Virginia Fábregas, me confesó algo muy importante:

—Cumplí mi condena en Guatemala, reuní un poco de dinero y me enrolé en esta excursión a los Estados Unidos, pero en cuanto llegue allá me bailo, me les pierdo y me quedo, quiero trabajar honradamente donde nadie me conozca y tal vez, algún día, regresar a Guatemala pero con algo de dinero para empezar una nueva vida, vos me comprendés...

Me alegré de aquella decisión, le felicité muy sinceramente y finalmente celebramos la "idea" con unas cervezas y taquitos regionales en la Plaza Garibaldi. Aquella fue prácticamente la despedida, indicándome que cuando algún día regresara a Guatemala le buscara. Pasó el tiempo y regresé al terruño, pero por más que lo busqué no lo localicé. Una mañana de tantas, estando en Guatemala, me dio por recorrer las calles que caminé de niño, ver en qué había parado la escuelita de la 8a. avenida, que ahora ya no era escuela, pues la casa cambiaba radicalmente y se había convertido en la "Pensión los Gavilanes". En lo que un tiempo fue la dirección del establecimiento educativo, ahora conversaban dos muchachas, mostrando sus atributos anatómicos, esperando la ocasión del primero que contratara sus servicios. El salto que el viejo edificio había dado era realmente paradógico: de escuelita a burdel. Pero en fin, así son algunas cosas en mi país.

LA CALLE DONDE TU VIVES

Luna Park realmente estaba mejor que antes, y de las ruinas del fatídico Castillo de San José, una especie de "Bastilla" en la época de la dictadura ubiquista, se levanta el Teatro Nacional o Complejo Cultural "Miguel Angel Asturias". ¡Buen Cambio!, pensé para mis adentros. Subimos hasta las ruinas de lo que quedó del castillo, desde allí se aprecia toda la ciudad, bonito mirador. En aquellas troneras gris viejo por el tiempo, imaginé ver a mis amigos de infancia cuando jugábamos a la revolución, en el mismo escenario de los hechos. Allí estaba la imagen de Arnaldo, siendo un niño disparando con su ametralladora imaginaria a un enemigo también imaginario, que nos disparaba desde el viejo parque Navidad. El Negro se arrastraba como queriendo esquivar un ataque que sólo en su mentalidad infantil se dramatizaba. Por momentos creí ver al Arturo disparando a discreción en dirección a la Avenida Bolívar.

Todo había pasado como en una pantalla, por momentos vi palpablemente lo que había sucedido 25 años atrás. Cuando bajé las gradas laterales de la 6a. avenida, alguien me saludó del lado de la acera del Palacio Municipal, levantó la mano y me dijo adiós. Bajé corriendo. Era el Enano, no había equivocación, era él, ahora con un traje gris perla a la moda, impecable, era el Enano, que tomó rumbo a la entrada de la municipalidad.

Corrí pero mi impulso quedó frustrado al atravesar la 6a. avenida, los autos pasaban veloces sin respetar peatones. Por fin pasé, pero por más que busqué al amigo de infancia no lo encontré. No sé porqué razón me dirigí hacia la Placita Quemada, subí el estrecho graderío y me abrí paso entre compradores y cargadores. Pensé de inmediato en doña Nieves, la madre del enano, ojalá esté todavía por aquí y que aún viva. Paré de repente al verla; allí estaba ella, con su pelo blanco y con sus movimientos más lentos. Siempre con sus frutas y sus canastos viejos vendiendo, siempre igual, con su misma gabacha y su blusa de color chillante. Allí llegaría el enano y platicaríamos largo y tendido, o por lo menos me indicaría dónde verlo más despacio. ¡Doña Nieves!, en 25 años había envejecido una eternidad.

Achicó los ojos más de la cuenta, que eran iguales a los del Enano, y de esos ojos marchitos brotaron lagrimas al verme porque me había reconocido.

—¿Pero sos vos, por amor de Dios? Rafita en sus cartas siempre te mencionaba, me contó que estuvieron en México cuando se fue a los Estados Unidos...

La voz de doña Nieves se quebró, el llanto pudo más y enjugó sus' lagrimas con su viejo delantal, quería hablar y no podía. Otra locataria lo hizo por ella, indicando:

—Pobrecita la nía Nieves. Afigúrese que al pobre de su hijo lo mataron unos gringos por un lío de mujeres allá en Los Angeles, de eso ya hace más de un año, pero a la pobre no le entra el consuelo...

Todo había cambiado radicalmente, el castillo ya no era castillo y la escuelita era una pensión de mala muerte. Y allí estaba doña Nieves, más anciana, ahora sin el Enano, que me espantó a plena luz del día.

Desde las troneras del abandonado Castillo de San José, los patojos jugaban a la "revolución" en los tiempos lejanos.

EL HUESO DEL GATO NEGRO

Los carruajes pasaban lentos, como haciéndole burla a los pocos automóviles estacionados frente a la estación central de los ferrocarriles. 1926 se marcaba triste y melancólico en el barrio de la estación, donde llegaban de todas partes de la República y otros países centroamericanos a laborar, allí donde había fama de que pagaban los mejores sueldos de la época. Fue la etapa de las "vacas gordas" de la empresa, cuando florecían las bananeras de Tiquisate, Bananera y Puerto Barrios. La United Fruit Company era la todopoderosa desde que se había instalado en Guatemala, gozando de canonjías, desde que gobiernos poco nacionalistas habían entregado tierras y privilegios a los empresarios del poderoso imperio.

Por aquellos años la ciudad de Guatemala principiaba a presumir de señorita moderna y capitalina, despojándose del ropaje provinciano de finales del siglo pasado y principios del presente. La novedad del año eran los anuncios luminosos, que eran el asombro de los noctámbulos chapines. Una tarde del año en mención, en las bancas de madera de la sala de espera de la estación había un hombre moreno, originario de Honduras, sentado como esperando a alguien. Narraba aquel extraño sus aventuras en el mundo y el secreto ya perdido de algo que él guardaba con mucho celo: El hueso del gato negro. ¿Qué era aquel pequeño hueso? Posiblemente una especie de talismán o amuleto que el hombre tenía y que a cada persona que encontraba le hablaba de sus maravillas, de su portento, de sus cualidades. Su nombre: Carlos Gamboa, conocido únicamente por su apellido. Narraba Gamboa, hombre corpulento, educado y honrado a carta cabal, que por su mala cabeza había perdido la influencia de su talismán. Pero indicaba a la vez, que no pararía hasta encontrarlo y entonces todo sería distinto. "Yo antes tenía mucho pisto hasta para regalar, gracias al hueso del gato negro", se lamentaba y continuaba: "Allá en Honduras, en la costa norte, conseguí algo que mucho me ayudó a vivir, pero por tonto lo perdí y ahora ando como me ve..."

Aquel hombre manifestaba, según decía, al principio un escepticismo sin límites, pero desde que tuvo el hueso del gato negro pensaba todo lo contrario. Consiguió aquel pequeño hueso en los barrios pobres del puerto de La Ceiba, en Honduras, pero en realidad no sabía ni cómo había llegado a sus manos el huesito en mención. Comentaba que en una ocasión, antes del obtener el hueso, un amigo le dijo "¿Querés una taza de café?" Gamboa, aún incrédulo, le manifestó que sí, el hombre se lanzó al río Ulúa y como cosa de magia le sacó una taza de café sin perder su sabor y caliente, que era lo más curioso.

Un día, el amigo falleció y Gamboa heredó el hueso del gato negro, cuando velaban el cadáver del hombre, pues en un descuido lo tomó y se quedó con él para siempre. Cuando llegó a su cuarto donde vivía, como llevaba hambre pidió al huesito que le diera algo de comer. Esperó en vano como diez minutos, pero finalmente una vecina le llevó comida, indicándole que le convidaba porque con motivo del día de su cumpleaños había hecho un almuerzo especial y como él no había llegado le había guardado un poco. Gamboa tomó el hecho con incredulidad y dijo que eso era una coincidencia, pero jamás una obra positiva del hueso del gato negro. Después salió Gamboa a la calle a tomar un poco de aire fresco por el calor que hacía en el cuarto, pensó en los poderes que el amigo fallecido le acreditaba al huesito, y por probar le pidió que deseaba viajar, conocer otros países. Siguió caminando rumbo a un bar cercano al muelle, allí encontró a un hombre que enganchaba gente para laborar en un barco nuevo que atracaría en La Ceiba y que tocaba varios puertos de la América del Sur. Gamboa no salía de su asombro al verse contratado por el colombiano que había conocido esa noche. Las cosas para el hombre de nuestro relato principiaron a cambiar en forma radical y positiva. Se cuenta por testigos que le conocieron que llegó a tener dinero, pero lamentablemente todo lo despilfarró. Aun así, el dinero le llegaba a manos llenas y le salían contratos para trabajo, sin que él los buscara.

De una vieja bolsa de papel, atada con unos cáñamos, sacaba ajadas fotografías, donde Gamboa aparecía con bellas mujeres en países lejanos. Lo que narraba el moreno no era mentira; por el contrario, había pruebas que demostraban la certeza de su narración. Comentaba nostálgicamente que según le había contado su amigo fallecido en Honduras, en un ritual especial, realizado el día viernes, se preparaba el hueso del gato negro, se sacrificaba al felino y después a todos y cada uno de los participantes en el ritual, les entregaban un hueso y estos tenían que jurar, que de los beneficios que obtuvieran, ya en comida o dinero, tenían que compartirlo con quienes tuvieran menos que ellos. Es decir, con la gente necesitada de fortuna y comodidades. Quien no cumpliera con aquel pacto perdería el hueso del gato negro y todos sus privilegios. Parece ser que Gamboa había incumplido aquel pacto y se lamentaba de haber perdido su amuleto.

Una tarde que ha quedado lejana en el recuerdo, un viejo médico reconoció en la morgue del hospital el cadáver de Gamboa, quien había muerto en plena vía pública como consecuencia de una congestión alcohólica. Uno de los puños lo tenía fuertemente cerrado, como queriendo ocultar algo en la mano derecha. Aquel médico, que conocía la historia del misterioso hueso del gato negro, con el bisturí rompió un tendón de la mano del fallecido y la mano se fue abriendo poco a poco, hasta mostrar el hueso del gato negro que Gamboa finalmente había encontrado, pero que ya no le funcionaba. El doctor lo metió en la bolsa de su bata blanca y se lo llevó a su casa, allí ordenó a una de sus empleadas que ante él quemaran el pequeño hueso. Dicha operación se realizó en el patio de su residencia y, justamente, cuando quemaban el hueso, se escuchó el maullido de un gato y luego el felino que salía corriendo de entre las llamas, hasta perderse en los tejados vecinos. El viejo médico únicamente se santiguó y dejó hecha una cruz de ceniza donde supuestamente se quemó el misterioso hueso del gato negro.

Vieja fotografía de la Estación Central de los ferrocarriles, cuando se suscitaron los hechos que protagonizara Carlos Gamboa.

UNA APUESTA EN EL CEMENTERIO GENERAL

El barrio del San Gaspar, colmado de leyendas y consejas, fue el escenario de un hecho que aún se comenta entre las personas mayores del sector. ¿Cuándo sucedió esto? Hace ya muchos años, cuando la ciudad de Guatemala principiaba en la primera calle y finalizaba justamente en el barrio en mención. Todo era más pequeño, hasta las distancias, que se cubrían a pie o en carruaje y a veces en lentos tranvías. San Gaspar, clásico barrio donde la hora de la oración se respetaba y el rezo del rosario era ritual diario entre los vecinos. Susana recién había finalizado el rezo y por un momento se quedó viendo por la ventana que daba a la calle. Las habladurías de la gente llegaron hasta donde ella estaba, sonrió de lo que se comentaba y solitaria en el cuarto pensaba en voz alta:

—¡Ay, de lo que son capaces los hombres para enomorar a una mujer! Ahora resulta que el Carlos, Vicente y Rafael quieren hacer una apuesta durmiendo en el interior del Cementerio General. Bueno, ninguno de los tres está mal que digamos, pero a mí me gusta Rafael, es más atento y respetuoso, aunque el Vicente no es menos. El único que no trago es al tal Carlos, que se la lleva de mero presumido; bueno, a ver qué pasa con esta partida de locos...

Cuando entró el abuelo a la habitación, todavía pudo escuchar algo de lo que decía Susana, y en broma y en serio el anciano le increpó su proceder indicándole que lo muy menos estaba algo loca. Los dos sonrieron de buena gana, pero Susana comentó con su abuelo lo que la gente deliberadamente pasaba platicando frente a la ventana de la casa.

—Imagínate que los muy locos van a pasar una noche en el interior del cementerio y el que demuestre menos miedo es el que me tiene que enamorar...

El anciano encendió un puro al momento de indicar a la nieta que en la juventud se cometen muchas tonteras y que algunos de esos errores se pagan caros.

—Pero decime sinceramente, ¿a vos te gusta alguno de

ellos por lo menos?

—Bueno, pues de gustarme lo que se dice gustarme, pues no mucho, lo que pasa es que son buenos muchachos y grandes amigos míos y de aquí del barrio.

Por momentos Susana coqueteaba viéndose al espejo del enorme ropero; en el fondo le agradaba la apuesta y se sentía importante y mujer. Y en realidad Susana era bella. Desde que sus padres se habían separado vivía con el abuelo y juró no abandonarlo después del fallecimiento de la abuela. El anciano tomaba la apuesta de los muchachos como una aventura, más que un reto o competencia de valor. No le eran ajenos aquellos muchachos que había visto crecer, y más que eso, la honorabilidad a las familias que pertenecían. El anciano retomó la palabra recordando anécdotas de su juventud en una charla abierta y sincera con la nieta más querida.

—En mis tiempos lo hacíamos de otro modo, ya con canciones o bien con poemas que le mandábamos a las patojas, y el más chispudo era el que ganaba. También estaban los que eran arrechos para escribir cartas de amor; esos sí que se llevaban las palmas, porque les zompopeaban las traidas...

—Entonces quiere decir que fuiste bueno para escribir cartas de amor —ripostó la nieta, respondiendo el abuelo que en realidad él en su juventud había sido mero regular. Sentado cómodamente en un asiento de mimbre, el abuelo continuaba haciendo comentarios de tiempos viejos a su nieta, mientras ésta seguía espiando por la ventana y sonriendo.

La débil luz del foco de la esquina caía justo en el área donde charlaba Rafael con sus amigos, eran apenas las siete de la noche y la mayor parte de vecinos descansaba después de una dura jornada de trabajo. Las risas de los muchachos llegaban hasta el balcón diminuto de la casa de Susana, que se entretenía haciendo unos bordados.

—Muchá, pensé que lo de la apuesta en el cementerio era un secreto, pero parece que ya lo sabe todo el barrio.

Rafael era el que llevaba la batuta en la conversación y continuaba:

—Creo que es mejor así, para que llegue a oídos de Susanita y así esté alerta.

—Vos hablás así porque bien sabés que la Susana te hace ojitos —agregó Vicente, al momento que en coro los muchachos soltaban otra carcajada.

Ahora era el anciano el que espiaba por la pequeña ventana y comentaba con su nieta los preparativos que los muchachos hacían. En la esquina era Carlos el que ahora tomaba la palabra:

—Yo creo que la apuesta es tonta, pero no es por nada, yo cuando paso frente a la casa de la Susana, hasta sale quebrándose la cara por verme, pero para que no digan que tengo miedo le entro al asunto.

—Presumido, pesadote —comentó Susana, porque las palabras del muchacho se escucharon hasta donde ella estaba.

El abuelo, conociendo el carácter de la joven, optó por cerrar la ventana y las voces y risas ahora fueron quedando más lejanas. Los muchachos continuaban planificando la forma de entrar en el cementerio y quedarse allí una noche sin despertar sospechas. Se eliminó la idea de sobornar al guardián con unos pesos moneda antigua, pero también existía el temor que a la hora de que los encontraran allí les acusaran de profanadores de tumbas. Concluyeron tomando una fecha para la apuesta: sería el último viernes del mes que ya estaba cercano.

Todo se haría con el mayor cuidado y tomando las precauciones del caso. Rafael se comprometió a llevar una pequeña carpa, Carlos algunos panes y un termo de café. Vicente se adelantó a ofrecer una botella de caldo de frutas de Salcajá para darse valor a la hora de la verdad. Entrarían en las últimas horas de la tarde por la cochera y se esconderían entre el monte, mientras cerraban el cementerio. Posteriormente saldrían y buscarían el sitio adecuado para pasar la noche; este sitio estaba ubicado no muy lejos de la isla, en la parte norte del camposanto.

—¡Ay mija, las cosas que se cuentan en el barrio! Según dicen, la apuesta va a ser el viernes que viene. Ya todo lo tienen listo estos patojos condenados.

—Pues allá ellos, abuelo, porque la verdad yo no me estoy fijando en nadie. Pero decime ¿espantan en el cementerio?

—Bien que te estás preocupando por los muchachos y decís que no te estás fijando en nadie. Bueno, hay muchas leyendas, así como historias de espantos, aunque a mí en lo personal no me ha pasado nunca nada, pero como dice el viejo dicho: No hay que creer ni dejar de hacerlo. Ya me los imagino esa fecha cuando escuchen a lo lejos el reloj de la Catedral, dando las doce de la noche y se arrepientan de todos sus pecados.

Después de la breve charla, el abuelo apagó la luz de la salita y se fueron a dormir cada quien a su habitación.

Llegó el viernes esperado, todo estaba listo para la macabra excursión al sitio donde los tres jóvenes demostrarían su valor y el que ganara la apuesta tendría la vía libre para enamorar o conquistar el corazón de Susana. Para colmo de males, la tarde de ese viernes estaba nublada, pero así entraron al cementerio y, tal como lo habían planificado, se escondieron entre unos arbustos esperando que cerraran la necrópolis. Cuando calcularon que los enormes portones de hierro ya habían sido cerrados, los tres muchachos fueron saliendo de su escondite listos para armar la pequeña carpa.

El silencio era casi absoluto en el interior del cementerio, únicamente alterado por el canto de los grillos y voces lejanas procedentes de los barrios cercanos. Por momentos la luna se dejaba apreciar con su luz, pero las nubes podían más al cubrirla y dejar nuevamente el ambiente a oscuras. Rafael parecía el más entero del grupo en materia de valor; los otros casi no hablaban observando la soledad de los nichos y mausoleos. Si al caso una que otra rata de monte pasaba corriendo cerca de los muchachos, causando el consabido susto en Vicente y Carlos especialmente, ya que Rafael sólo observaba y sonreía.

—Bueno muchá, hay que encender un poco de fuego porque aquí ni las manos se miran— acotó Rafael, al momento que Carlos manifestaba que si encendían fuego se delatarían con los guardianes del cementerio. Optaron por no hacerlo y acordaron no dormir en el interior de la carpa, velarían durante toda la noche. Era mejor así, para demostrar el valor de cada uno, el deseo de ganar el corazón de Susana y de narrar en una noche especial la aventura en la esquina del barrio. Vicente, el más callado del grupo, en un momento de flaqueza suplicó a sus amigos que le acompañaran a un apartado, porque estaba sufriendo de molestias en el estómago. Ese fue el momento oportuno para que Rafael sentenciara:

—Muy bien, te acompañamos, pero ya perdiste la apuesta y sólo quedamos dos. Sonrió maliciosamente y vio de soslayo a Carlos, que evadió la mirada inquisidora de su amigo. Cuando los tres muchachos caminaban casi a tientas en el interior del cementerio, vieron el reflejo de la luna en los tramos de nichos repletos de cadáveres. Un silencio absoluto prevalecía en la ciudad de los muertos, donde las sombras caprichosas de las copas de los árboles formaban figuras fantasmagóricas en las paredes de los mausoleos. Cuando regresaron de acompañar a Vicente, fue Carlos el que suplicó a sus amigos que por favor no le dejaran rezagado, ya que principiaba a sentir miedo.

—Muchá, no sé porqué, pero presiento que algo malo nos sucederá esta noche. Bueno, no me miren así, ya sé que también perdí la apuesta y el que ganó fue Rafael; consecuentemente, creo que ya no hay razón para estar aquí y mejor nos vamos a la casa. Vos ganaste, Rafael, y tenés el campo abierto para conquistar a Susana sin ningún problema.

Carlos era el que había hablado y dada por ganada la apuesta a Rafael, pero éste, sobreponiéndose a lo dicho por su compañero y amigo, manifestó que había que esperar hasta que amaneciera. Sabía Rafael que la salida del cementerio a esas horas era peligroso, pues si los capturaban los acusarían de profanadores de tumbas o cuando menos de brujos. En realidad los jóvenes estaban tan asustados, que hasta se olvidaron del café y la botella de licor. Había que esperar hasta que amaneciera, viendo en la oscuridad de la noche el paisaje fúnebre, con cruces y ángeles, a manera de decoración sobre tumbas y mausoleos, siluetas que se recortaban en un mundo extraño y a veces tenebroso. Los minutos y segundos parecían pasar más lentos a esa hora, cuando el frío principiaba a calar en la humanidad de los apostadores. Rafael se sentía ufano por haber ganado la apuesta, pero disfrazaba su miedo con una sonrisa rara. De pronto, el reloj de la Catedral dejó escuchar en la lejanía sus doce campanadas. Los tres amigos se vieron las caras, sabían positivamente el miedo que les invadía en ese momento. De repente hubo un sobresalto, de la oscuridad de la noche una figura iba tomando forma y conforme se acercaba le iban distinguiendo mejor.

—Sólo eso nos faltaba, allí viene el guardián a ver si no hay problemas— vaticinó Carlos.

Aquel hombre se fue acercando y ahora ya estaba frente al grupo de muchachos. Con una sonrisa un tanto extravagante les dio las buenas noches, agregando:

—¿Se puede saber qué andan haciendo a estas horas por aquí...?

Los tres enmudecieron, no sabían qué responder ante uno de los guardianes del cementerio que ya lo tenían enfrente. El que tomó la iniciativa de responder fue Rafael:

—La verdad, señor, es que hicimos una apuesta para ver quién sentía más miedo a dormir una noche aquí en el cementerio, y eso fue todo. Como ve, allí tenemos nuestra pequeña carpa, pero por el miedo ni nos atrevimos a dormir adentro, eso es todo. Pero le hemos de ser sinceros, quisiéramos salir de aquí...

—Eso va a ser lo difícil, porque el policía que está en la puerta no lo creerá. Mejor esperen que amanezca, dejan que entre un poco de gente, digamos los albañiles que vienen a laborar temprano, y salen poco a poco. Creo que así nadie se dará cuenta que durmieron una noche en el interior del cementerio.

Al momento de finalizar la frase, el extraño hombre lanzó una carcajada que hizo eco en el barranco cercano. Aquella expresión corporal del supuesto guardián alteró aún más los nervios de los muchachos. Ya repuestos del susto y tomando un poco de confianza, fue Vicente el que interrogó al extraño personaje:

—¿Pero a usted no le da miedo andar solitario en el cementerio? Realmente es admirable su valor. ¿Cuántos años tiene de estar aquí?

Una vez más la risa del hombre resonó en el espacio como algo sobrenatural y respondió:

—¡Muchos años!, que ya se me olvidó cuántos...

LA CALLE DONDE TU VIVES

Ahora era Rafael el que hacía el comentario como para ganar confianza con el extraño:

—Imagínense muchá, caminar solitario en la noche entre todos los nichos y tumbas donde numerosos difuntos duermen el sueño eterno. ¡Realmente se necesita valor para eso! Pero disculpe que insista, ¿de verdad no le dan miedo los muertos?

Nuevamente la risa cavernosa del hombre se antepuso a la respuesta:

—No, ahora ya no. Antes sí me daba miedo hasta pensar en los difuntos.

—¿Y ahora por qué ya no le da miedo?

—Porque ahora yo también soy un muerto...

* * *

El sábado amaneció radiante, el movimiento en el barrio de San Gaspar era inusitado. El abuelo de Susana había salido a comprar unos puros a la tienda más cercana y como había escuchado el comentario de unos vecinos, como Dios le dio licencia corrió a darle la noticia a su nieta.

—¡Susanita...! ¡Susanita...! Ay, vaya que te encuentro, patoja por Dios Santo. ¿Ya supiste lo que pasó?

—¡Ay abuelo. ¿Qué sucedió?

—Pues nada menos que al tal Vicente, el Carlos y al mentado Rafael, los encontraron bien somatados en el fondo de la barranca del Cementerio General y dicen que no han recobrado el conocimiento. ¡Yo más bien digo que a estos los espantaron y por ser buenas gentes no se los ganaron de una vez, porque bien dicen que con los difuntos no se juega y el que se acerca a la muerte, la muerte encuentra...!

Escenario donde se suscitaron los hechos de la macabra
aventura en el Cementerio General.

EL BAUL DE DON RICARDO

La casona de la Avenida Simeón Cañas estaba igual, no había cambiado nada desde el fallecimiento de don Ricardo. El cerco de hierro forjado que daba a la avenida se encontraba forrado de bugambilia color lila, sin que nadie recortara las colas. La entrada con las graditas era la misma, al fondo una puerta con vidrios en forma de abanico, desde donde se apreciaba una sala estilo principios de siglo. Un estrecho jardín daba al frente, casi pegado con la baranda de hierro, y en medio daba la ventana de la amplia sala con vidrios de colores, algunos amarillentos de viejos. Casa grande como las de antes, con su altillo y su estudio. En la sala lucía un viejo piano de cola que desde hacía muchos años nadie tocaba. Don Ricardo no había dejado familia; únicamente Petrona, la empleada, que llegó de niña procedente de Totonicapán, era la que ocupaba el inmueble. Su esposa había muerto cuando don Ricardo aún tenía el pelo negro. Nunca supo de la caricia de un hijo, menos la de un nieto. El hombre había muerto sin testar, no le dio tiempo, ya que un ataque fulminante al corazón le había cortado la vida.

Petrona Subuyuj había sido leal hasta el último momento, sólo ella y su alma había enterrado a don Ricardo, tomando dinero de lo poco que quedaba y vendiendo algunas cosas. Al principio, fue consumiendo algo de lo dejado por el anciano en la alacena, pero después tuvo que trabajar para subsistir; eso sí, sin deja la casa. Salía temprano y regresaba al filo de las seis de la tarde. Se defendía laborando por día en las mansiones cercanas.

—¿Y qué vas hacer, Petrona, con esa casona?

—Pues no sé, porque los siñores fueron muy buenos conmigo y no les puedo pagar mal; es más, la doñita me enseñó algunas letras con las que me defiendo, y los números también, para que no me duerman con los güeltos. Eran muy buenos, pero ya ven, don Ricardo ni pío dijo cuando me dejó, ni pisto para su entierro; nada de nada, sólo la casona, y tuve que vender unos cuadros que el esposo de doña Marta me pagó muy bien. Con eso enterré a don Ricardo. Menos mal que tenían musuleyo en el cementerio, de lo contrario la va a tener a la Verbena...

Petrona había llegado niña a la casona, ese era todo su haber porque un día de tantos pidió permiso para ver a sus padres

Héctor Gaitán

y estos habían muerto. Regresó triste y jamás salió de la casa de don Ricardo. Recordaba que había llegado cuando tenía sólo ocho años y de ese tiempo para la fecha había contado 55 cumpleaños, igual número de semanasantas y nochebuenas Mujer honrada y respetuosa, jamás tocó lo que no le correspondía y recordó una tarde lluviosa, cuando don Ricardo estando enfermo le dijo que jamás entrara al cuartito cerrado del segundo piso. Ella se molestó mucho, porque bastaba ver el candado grueso colocado en la puerta para entender que allí no se podía entrar. Pero la curiosidad siempre aleteó en la mente de Petrona. Es más, en algunas ocasiones escuchó ruidos, pero culpó a los ratones o gatos de las vecindades.

Era tan buena Petrona, que únicamente vendió lo necesario para los gastos del entierro de don Ricardo, al que llegó poca gente durante el velorio y menos al entierro.

—No me lo van a creer, pero como en la funeraria sólo mandaron al chofer y un ayudante, pensando que sobrarían cargadores, cuando llegamos al cementerio tuve que pagarle a tres charamileros para que me ayudaran a cargar el cajón con don Ricardo adentro. El chofer y el ayudante se hicieron babosos, porque el funeral era barato, caja de pino color chocolate, con un poquito de forro y una almohadita para recostar la cabeza del dijunto. Lo que es la vida, por Dios Santo, y pensar que en la vida el hombre sirvió a mucha gente, les abrió las puertas de la casa y se hartaron y tomaron que fue gusto. Porque hay que decir la verdá: ya cuando se puso malo no teniya amigos. Las malas lenguas diciyan que el viejito guardaba buen pisto; diónde chingados si a veces yo le emprestaba para el cuto porque había veces que se poniya bien triste, tal vez por la mujer y se iba al piano a tocar unas piezas más tristes entodavía.

Petrona jamás tuvo novio, se entregó en cuerpo y alma a sus patrones. Una vez se enamoró y su pretendiente, el sargento primero Arcadio Lux Coyán, la dejó esperando en vano una tarde en el parque central. Nunca más le volvió a ver. Después supo que murió heroicamente en la acción de Gualán, combatiendo contra las fuerzas de Castillo Armas en 1954. Lloró tanto que cuando se ponía triste ya no brotaban las lágrimas de sus ojos negros, pues con aquel soldadito habían muerto sus esperanzas. Luego se fue poniendo vieja pero siempre coqueta, con sus trenzas atadas a moños multicolores, y se quitó el chachal que le había regalado su

38

abuela, el día que un ladrón trató de asaltarla en el Parque Morazán. Ahora ya no lo usa y lo ha guardado como recuerdo.

—Una tarde allegó una patojona canche con un peludo diciendo que eran sobrinos de don Ricardo, yo me los claché y el otro día le hablé al licenciado, porque querían que yo les sirviera de gorra. El licenciado dijo que los echara a la chingada porque no había testamento y los dijuntos a mí me debían un resto de sueldos que no me pagaron y hasta horas extras y vacaciones. Total, que hasta con la poleciya los tuvimos que sacar de la casa. Allí se juntaban, se poniyan a jumar saber que cosas y después resultaban gritando, llorando y hablando babosadas. Mareros eran los disgraciados, tal vez parientes de ellos pero muy lejanos, a los que nunca vi que les llegaran a visitar.

Petrona siguió trabajando por día en algunas casas, lavaba y planchaba, hacía mandados y pagaba impuestos. Una noche de sábado, recordó que era su santo, cumplía años y como no tenía amigas pasó al super y se compró un six pac; eso bastó para ponerse un tanto super y meditar en su situación. Por respeto a los señores no lo hizo en la sala y se fue a su cuarto. Púchis, dijo, si ya están muertos, pero el respeto es primero. Por momentos pensó que se iba a quedar fondiada, pero cuando escuchó las notas del piano pensó en que los mareros habían regresado con los problemas. Poco a poco fue bajando las gradas y cuando llegó al sitio desde donde se apreciaba la sala y el piano de cola, no había nadie.

—¡Ay juer, como que ya me está agarrando porque ya estoy oyendo babosadas! Pero si mismamente oí que tocaban el piano y era la música triste que le gustaba a don Ricardo. No puede ser que el viejito esté espantando, porque en realidá, no molestó a nadie. Sus traidas tuvo, pero nunca abandonó a doña Juanita; por el contrario, le sirvió hasta el último momento.

Petrona subió las gradas de nuevo para destapar otra cerveza, pero cuando llegó al cuarto, una vez más la música brotaba del viejo piano, las notas invadían el ambiente, como en los tiempos cuando don Ricardo entretenía a su esposa y ella escuchaba en la silla de ruedas.

—¿Te acordás de esta melodía que tocaba el maestro Lara en el Granada? Eras joven y muy bella, yo trabajaba en el

Héctor Gaitán

Ministerio de Relaciones Exteriores y ganaba cuarenta quetzales al mes. Afortunadamente mi madre me había dejado la casa y desde la muerte de ella vivía solo. Hasta que te conocí y todo cambió. Después vino la revolución, yo renuncié del Ministerio y tuve que trabajar por mi cuenta, pero creo que estuvo mejor, porque tenía más tiempo para atenderte. Paseábamos por esta linda avenida y llegábamos a pie hasta el hipódromo, regresábamos al parque Morazán y a veces hasta el parque central. No tuvimos hijos, pero así es la vida, y hemos sido felices en esta vieja casona recuerdo de mi madre, que como hijo único me la dejó y que también es tu casa hasta que Dios disponga lo contrario...

Petrona no salía de su asombro al escuchar la voz de don Ricardo, que daba la impresión que estaba platicando en la sala con su esposa.

—Si hasta el perjume de la siñora siento, por Dios Santo, y también el humo de los cigarros de don Ricardo que cómo güelían. Pior si ya me está patinando por tanta cerveza. Ya la jodí dialtiro, pero no puede ser, ya ni que fuera charamilera que todos los días le entrara al fresco.

Ahora Petrona ya no se atrevió a bajar y, espiando desde el caracol, se quedó escuchando la charla de los difuntos, porque sin duda era ellos. Pero ya habían pasado dos años de la muerte de don Ricardo. Eran ellos, de eso estaba segura Petrona, que con la cerveza en la mano escuchaba la conversación.

—Me preocupa mucho Petrona, está sola en esta casa y ha sido muy leal y noble. Quién sabe qué será de esta propiedad y quién la gozará. Ya ves que ni parientes tenemos, por lo menos cercanos, y los lejanos quién sabe si todavía viven. ¿En qué piensas?

—En Petrona, pobrecita, qué será de ella si la sacan de aquí, pero hay que buscar la forma de comunicarnos con ella. Quizás cuando sueñe le podamos dar la clave; mejor dicho se la daré yo, que estuve más cerca de ella, me atendió como una santa hasta el último momento y se sacrificó por mí...

—¿Entonces tenías algo guardado por allí, cariño?

—Creo que sí, pero cuando llegó mi gravedad ya ni me dio

tiempo de contártelo, lo guardaba como una sorpresa para ti, para los dos, pero mi muerte fue lenta y recuerdas que me quede ciega y sin habla por más de dos meses. Yo solo te miraba y quería decirte algo pero no podía ya ni escribir y menos hablar. Pero afortunadamente Dios, con su santa misericordia, nos tiene unidos y en este plano no tenemos necesidades físicas, todo es calma y tranquilidad. Menos mal que tu muerte fue rápida, no sufriste lo que yo, y de pronto ya estabas en otro plano, allí conmigo, donde te esperaba sin desear que llegaras luego.

—Bien, esta noche le daremos el mensaje a Petrona, ojalá lo capte y no lo tome como una pesadilla o como un sueño pasajero y después lo olvide, porque será su última oportunidad, sí, su única oportunidad.

Petrona temblaba de miedo, sabía positivamente que no era el efecto de las cervezas lo que había escuchado desde su habitación del segundo piso tan cercano a la sala, únicamente separado por el caracol de gradas. Eran ellos, de eso no había duda alguna y ella lo sabía perfectamente.

—Por babosa me duermo, hoy sí que me dio miedo, ya mero que me salgo corriendo. Pero si me alcanzan y me jalan el pelo, intonces sí que ya me jodieron, capaz que me muero del susto y morirme como ellos no quiero, no, no quiero. Aquí amanezco y si me van a dar algo mejor que no me lo den, porque ya me dio miedo, mucho miedo. De paso que la cerveza da un sueño de todos los diablos y parece que me voy a quedar fondiada, estoy muy cansada, muy cansada, hoy lavé mucha ropa donde los alemanes y ya no aguanto el lomo.

Petrona se quedó profundamente dormida, con las luces encendidas. Cerró bien la puerta y colocó sobre la cabecera de la cama la imagen de un santo y después todo fue silencio, silencio absoluto. Petrona se había quedado profundamente dormida. Pasaron unos minutos y principió a moverse en la cama, estaba agitada y quería hablar y no podía. Una voz invadió la pequeña habitación, una voz que le llamaba por su nombre:

¡Petronaaaaaa! ¡Petrona...! Ten calma que no te haremos daño, lo mereces todo por tu nobleza y bondad, mañana muy temprano abre el cuartito con llave, allí habrá suficiente para que disfrutes de una vejez tranquila, para que nada te falte y vivas decentemente.

De pronto Petrona se incorporó bañada en sudor.

—No hay babosadas por tomar cerveza, estoy oyendo y viendo cosas en sueños, son pesadillas y de bruta entodavía pasé comprando chicharrones donde doña Minga y siempre me han hecho mal. Güeno está, quién me lo manda hartarme cerveza sin estar acostumbrada. Pero el sueño tan claro y doña Juanita diciéndome que abriera el cuartito con candado. No, mejor voy a salir de dudas para ver si fue sueño o ellos estuvieron aquí.

Pretrona quitó candado, poco a poco fue abriendo la pequeña puerta y alumbrándose con un foco escudriñó el contorno del cuarto. En el fondo había un baúl, el baúl de don Ricardo, donde guardaba muchas partituras musicales. Sacó los papeles y comprobó que tenía doble fondo. Cuidadosamente, con un martillo, fue quitando los clavos y se encontró con una cubierta de terciopelo rojo que protegía el contenido del baúl.

Lentamente fue descubriendo lo que allí había y apilados en fajos encontró billetes de distintas denominaciones, unos nuevos y otros un tanto usados. En una esquina, otra bolsa de terciopelo negro con una cantidad regular de piedras preciosas y joyas de gran valor, así como macacos de oro y plata que doña Juanita había guardado. Petrona no salía de su asombro, se tocaba como dudando de que aquello no fuera un sueño más, producto de la cerveza. Menos mal que aprendió a contar y lo hacía muy bien, porque amaneció contando el dinero y colocando los billetes en una valija que encontró a la mano.

Una mañana de tantas fueron a buscar a Petrona, ya que no se había presentado a su trabajo por día en la casa de los alemanes. Por más que tocaron nadie les abrió, nunca más se supo de su paradero y la casa quedó abandonada por muchos años, hasta que el Estado la remató. Contaban las personas del sector, que en algunas ocasiones miraban pasar un lujoso automóvil con una dama muy elegante en su interior; algunos aseguraban que era la Petrona completamente cambiada, quizás haciendo recuerdos de su vieja querencia.

LA CALLE DONDE TU VIVES

Guatemala C. A., Avenida del Hipódromo.

Vista de la Avenida del Hipódromo o Avenida Simeón Cañas, donde Petrona Subuyuj laboró por muchos años en una de esas casonas solariegas.

EL ESPECTRO DE LA CARRETERA

Cuando la noche se hacía presente en plena carretera, don Arturo encendió las luces de su auto que corría a regular velocidad en el tramo comprendido entre Retalhuleu y Coatepeque, pues tenía que estar en la tierra de las gardenias porque esa noche se celebraba el cumpleaños de su esposa. Curiosamente, una carretera tan transitada lucía silencia aquel sábado 2 de marzo de 1965: ni cañeros ni buses ni autos. A los lados del camino los chiquirines aturdían con su canto como llamando el agua, aunque ya habían caído los primeros aguaceros en la costa. A los lejos, en las planicies cercanas al mar, los relámpagos iluminaban el firmamento como flashes de fotografías tomadas de noche.

Don Arturo había comprado el pastel y un regalo en Mazatenango, que entregaría a doña Leonor, su esposa. No podía fallar aquella noche. Pensó que a esa hora ya estaban llegando los parientes y vecinos que ella había invitado para celebrar el acontecimiento. Una lluvia tenue principió a regar generosamente los cañaverales y pastizales cercanos y a lo lejos se observaban las luces de algunas rancherías de fincas algodoneras. El conductor aminoró la velocidad por temor a un resbalón con el auto; ahora la lluvia parecía más recia en el sector. El movimiento del parabrisas era lo único que entretenía la visión del hombre. De vez en cuando colocaba las luces altas en prevención de que alguna res se atravesara imprudentemente.

La lluvia fue amainando su fuerza y de pronto todo quedó silencio, ahora la carretera lucía seca completamente. Don Arturo cavilaba solitario en los problemas de su trabajo como agente viajero. Encendió la luz interior del auto y comprobó la hora: faltaba poco para llegar, quizás una media hora. A pesar de la noche el calor invadía el contorno y abrió la ventanilla, colocando la aleta en dirección apropiada para que el viento entrara y refrescara su auto. Tomó la curva con precaución y luego otra para enfilar en la recta, acelerando la máquina.

Una parvada de pericas que iban rezagadas para las cercanías del mar le asustó con su gritería infernal. De pronto vio el bulto que se movía en el lado izquierdo de la carretera, colocó la luz alta para una mejor apreciación y pudo notar la figura de un hombre que se arrastraba. Al acercarse, identificó a una persona sangrante que había perdido el conocimiento. Pensó por un

45

momento que llevarlo constituía un riesgo si se le moría en el camino, a él le culparían del accidente o de lo que hubiera pasado al desconocido. No, mejor daba parte en la garita para que averiguara la policía y así se evitaría problemas. Vio al agonizante, pero pudo más el temor que el sentimiento humano para llevarlo. "No quiero problemas, no estoy para eso, ya con los que tengo es suficiente", pensó. Una vez más apreció el cuadro dramático del hombre que parecía muerto y sangrante, ya con el rictus de la muerte reflejado en el semblante. Emprendió el camino nuevamente, con la conciencia hecha trizas por haber dejado al hombre abandonado a su suerte. Pero en realidad no se quería comprometer y él no había tenido ninguna culpa en nada. Aceleró y no paró hasta encontrar la garita de aduana, donde unos guardias de hacienda jugaban a las cartas en su interior. Bajó de inmediato y explicó la situación.

Un sargentón mal encarado fue el que le atendió, y después de la explicación, en forma prepotente, le dijo que él les acompañaría al sitio donde el hombre se desangraba. Regresaron y por más que los guardias buscaron, incluso entre el monte, no encontraron a nadie.

—Le juro, sargento, que aquí fue donde estaba el hombre casi agonizante y manando abundante sangre...

El uniformado le midió con una mirada de incredulidad y desconfianza, ripostando:

—Oiga compita, parece que nos va a tener que acompañar pero al bote. Tenemos caras de babosos pero no somos...!

Trató de persuadirlos y disculparse, y finalmente a fuerza de súplicas le dejaron en paz. El reloj ya marcaba las diez de la noche, en la casa ya estarían con pena y los invitados esperando, pero llegaría y contaría el problema. Los polacos le tomaron sus generales y los datos del auto por aquello de las dudas. Ellos siguieron buscando al supuesto accidentado.

Nuevamente la lluvia hizo su presencia, ahora con un fuerte aguacero que no dejaba ver la carretera. Pensó en los policías y la empapada que se darían. "Ojalá no tomen represalias y crean que en realidad fue un engaño", pensó. Aminoró la velocidad por la fuerza de la lluvia y la poca visibilidad en la ruta. Sintió la necesidad de tomar algo en la entrada a Coatepeque, aún bajo la lluvia, frenó en la primera caseta de refrescos que encontró.

—¿Qué le pasó, don Arturo? La cara que trae —fue el saludo del anciano que atendía el pequeño negocio.

El hombre narró lo sucedido pormenorizadamente, sin quitarle ni ponerle, y es más, dio el sitio exacto donde había visto al hombre agonizante.

—Más mejor tómese un buen trago y olvide el asunto, pero esa burla siempre sale en esta fecha, que fue cuando un bus mató al difunto Matías, que iba socado, haciendo ochos por la carretera. Hoy es la fecha del aniversario de su muerte trágica, cumple cinco años de muerto y no es al primero que espanta...!

El anciano, dándole una palmadita en el hombro a don Arturo, le dijo que no tuviera pena y que se fuera en paz.

En un punto como éste, cada cierto tiempo se aparecía el espectro de la carretera.

LA VACA MISTERIOSA

Bajando por veredas y subiendo cuestas empinadas de los terrenos de la bocacosta, iba llegando el tío Ismael con su tren de mulitas y dos bueyes color piloy, llevando mercaderías, medicinas, cortes y cuanto había para revender en los pueblecitos de la costa. Caminos polvorientos en el verano e intransitables en la época de lluvias, eran un reto para el hombre, que no se amedrentaba ante nada ni nadie. Valiente y hecho para eso, para las duras jornadas del campo. Eran los tiempos de los inicios del presente siglo, cuando las distancias se sentían más largas por lo rudimentario y lento del transporte.

Bastaba que el tío "Isma", como le llamaban cariñosamente, silbara una canción de moda, para que los pericos y guacamayos le imitaran en las copas de los enormes árboles. Gozaba el arriero con aquel ruido ensordecedor. Atrás había quedado Quetzaltenango, Zunil y el negocio y las ventas le esperaban en el primer pueblo que tocaría, bajando la costa, San Sebastián, con su calor sofocante y ambiente de gente alegre. Cuando divisó los cocoteros y sintió el cambio de clima, sonrió complacido por el buen tiempo reinante reflejado en el azul profundo del cielo. Mujeriego empedernido y con quereres a diferentes distancias, las mujeres le abundaban al tío Ismael, quien ya frisaba los sesenta abriles, pero las damas al verlo contar los grandes fajos de billetes le miraban guapo. Hizo alto en el camino y se abanicó con el ancho sombrero, espantando mosquitos y calor.

Las parvadas de pericas volaban de un lado a otro con su bullicio ensordecedor y los elevados árboles de caoba ofrecían su sombra generosa a esa hora de la mañana. Don Ismael Martínez había salido temprano de Quetzaltenango, aprovechando el fresco de la madrugada y pensaba llegar con tiempo al pueblo ya mencionado. Así, guiando la carreta de bueyes y atadas cuatro mulitas con carga en el pescante trasero de la carreta, llegaba finalmente a San Sebastián, justamente el día de mercado.

Uno de sus amores, la consentida de don Ismael, le esperaba en el pueblo. Clemencia, mujer guapa en la medianía de la edad, cuarentona y muy hembra, según los comentarios, era la que le hacía suspirar. El problema eran los celos de la mujer, no mal infundados por cierto, y pobre del tío Ismael si no pasaba a verla cuando llegaba a San Sebastián, o pasaba por sus linderos, porque según los vecinos se lo "comía vivo". San Sebastián estaba en vísperas de su fiesta y las mujeres del pueblo no hablaban de otra cosa que no fuera el rebosado tema del "estreno" para la fiesta de la coronación. Ese día de mercado don Ismael terminó la mayor parte de la mercadería compitiendo en precios y calidad con los chinos de la localidad, que no miraban con buenos ojos las incursiones comerciales de don "Isma", sus bueyes, carreta y mulitas con carga. La venta estuvo de maravilla y solamente quedaba pendiente dejar unos sombreros de palma en un caserío cercano. Cuando regresó, pensó pasar a la casa de Clemencia, pero optó por pasar a la primera fonda que encontró para humedecer el galillo. Desde que entró al fondín, una joven porteña oriunda de Champerico le guiñó el ojo sonriendo pícaramente. La invitó a su mesa y departieron hasta ya entrada la noche. Don Ismael pensó que la dama, por su juventud y belleza, únicamente buscaba su dinero, criterio del cual no estaba lejos, pero a la vez calculó que la mujer bien podía ser su nieta.

—Lástima que tenga compromiso con la Clemencia, porque podíamos hacer vida— le susurró al oído la joven, agregando: —Usté está en la plenitud de la vida y necesita de una mujer joven como yo.

Don Ismael se sonrojó, pero respondió al cumplido:

—Güeno, dicen que para gato viejo, ratón tierno, pero la Clemencia no es oistáculo para que ti y yo nos entendamos, amor mío.

La mujer soltó una sonora carcajada y pidió otra tanda, mientras acariciaba la canosa cabellera de don Ismael.

—Pero tenga mucho cuidado —agregó—, porque aquí en San Sebastián las paredes tienen oídos y esto puede llegar a conocimiento de la Clemencia.

—A dió, ni que fuera bruja la condenada, si está bien lejos, porque vive en las orillas del pueblo y es muy mujer de su casa porque ni sale —respondió el tío "Isma".

Cuando el hombre pagó el consumo, después de haberle prometido a Celestina que en el próximo viaje se la llevaba, salió de la fonda presuroso rumbo a la casa de Clemencia. Ya la noche había caído y el silencio se hacía patente en las calles del pueblo. Curiosamente y no siendo época de lluvias, durante su estancia en el fondín una tenue lluvia había caído en el sector. El callejón de salida se hacía impasable debido al lodo, convirtiendo en un resbaladero el camino. A la distancia pudo distinguir la casa de clemencia, las lechuzas silbaban en las copas de los arbustos y cercos de las casas. Ya salía a una planicie cuando de pronto una vaca color jabón se plantó a media calle, iluminada únicamente por la luna costeña. Don Ismael, al ver que la vaca no se movía del camino, principió a lanzarle piedras y espantarla para que le dejara la vía libre. Las mulitas y los bueyes reparaban como presintiendo el peligro y en lugar de avanzar retrocedían, motivo que enojaba al hombre de nuestra historia. En una de las primeras embestidas, la vaca derribó a una de las mulitas y don Ismael le lanzó la andanada de palabrotas dignas de su calidad de arriero, un repertorio no muy aconsejable, por cierto, como para ser escuchado en plena calle.

La actitud del animal envalentonó a don Ismael, tomó una chamarra doblada en dos, bajó de la carreta y como el mejor de los toreros enfrentó al animal citándole de lejos. La vaca al verlo rascó el lodo y se fue directamente al hombre. Don "Isma", recordando los buenos tiempos cuando se lanzaba al ruedo en la fiesta del pueblo, sacó los brazos y con el engaño que el animal aceptó, pasó muy cerca de su cuerpo. De haber realizado tal proeza ante el público, le sacan en hombros, pero en aquel silencio de la noche sólo los bueyes y las mulitas eran testigos de la improvisada corrida. Cuando la vaca sintió el engaño, se enfureció más y embistió de nuevo, pero allí estaba bien colocado don Ismael Martínez, veroniqueando a la vacona de maravilla. Había una razón justificada en el proceder de don Ismael, pues en sus años mozos había recorrido pueblos, aldeas y caseríos con una cuadrilla de novilleros y como bien dicen que lo que se aprende no se olvida, allí estaba frente al animal, aunque las piernas le temblaran más de la cuenta.

Jadeante pero seguro de la que hacía, cansó a la vaca y a manera de remate le dio sus buenos planazos con el infaltable machete que no se lo quitaba de la cintura. No la mató por evitarse problemas, pero ganas no le faltaron. Finalmente, la vaca escapó por el monte perdiéndose en la noche. Sudoroso y cansado, lo primero que hizo fue acariciar a la mulita golpeada. Ya repuesto del susto, emprendió el camino de nuevo, sin parar hasta llegar a la casa de su amada. Antes de entrar y para darse valor, sacó de la alforja una botella de blanco y se tomó un buen trago. Aunque Clemencia no le creyera, le contaría lo sucedido con la vaca y el valor que tuvo para enfrentarla.

—¡Clemencia, Hoooo!— gritó a manera de saludo, con el afán de que la muchacha saliera a su encuentro como solía hacerlo. La mujer no daba señales de estar en la casa, le llamó varias veces y no hubo respuesta. Ya cansado y con parsimonia, ató al poste del patio a las mulitas y dejó a los bueyes para que descansaran. Ahora tocó en la puerta de la casa y nadie atendió el llamado. En ese momento la puerta se fue abriendo lentamente y entró despacio, encendió una vela y casi se va de esta vida al ver a Clemencia tirada a medio cuarto, completamente desnuda, agonizante y con numerosos golpes en el cuerpo. La cubrió con una sábana y levantándola en vilo la colocó con sumo cuidado en el camastrón más cercano. Le habló pero la mujer no respondía, únicamente sus palpitaciones eran notorias y el sudor que le corría por la espalda. Allí la dejó, salió en busca de ayuda y en el primer ranchito que encontró tocó la puerta.

—¡Ave María Purísima! —dijo a manera de saludo y la respuesta no se hizo esperar:

—¡Sin Pecado Concebida! ¿Qué deseya el señorón...?

Don Ismael explicó el motivo de su presencia a esas horas en la humilde vivienda. El anciano que le atendió, únicamente le vio de soslayo y con pena y humildad del campesino le dijo:

—Veya mi amigo, entre hombres no mueren hombres y por eso le daré un buen consejo: váyase cuanto antes de esa casa, porque no es la primera vez que le planean con machete a la Clemencia, la muy pícara tiene pacto con el enemigo y dicen que se güelve vaca y a veces cocha para hacer el mal. Quién sabe a quién quiso dañar y ella salió fregada.

Ganadería "Cuntán", Guatemala, C. A.

El tío Ismael con su carreta de bueyes y tren de mulitas, visitaba fincas y caseríos vendiendo su mercadería.

LOS MILAGROS DEL HERMANO PEDRO

El viento lamía el camino provocando una gran polvareda, por momentos se formaban pequeños remolinos que al paso del franciscano se disolvían. Atrás y corriendo a galope tendido, don Juan Peñalonzo y Figueroa se dirigía a la ciudad, después de recorrer sus vastos dominios. Terrateniente cruel, descendiente de conquistadores; por poco atropella al humilde siervo de Dios. Bestia y hombre, dos en uno, pararon violentamente, al momento que Pedro le hacía la señal de conversar con el jinete.

—Don Juan! ¡Don Juan! Gracias a Dios que le encuentro, porque resulta que estoy haciendo mi recorrido y necesito ayuda, no para mí sino para mis enfermos y pobres.

Agregando el jinete: Al diablo con esa cantaleta que ya me la sé de memoria y bien sabéis que nunca te he dado dinero y no sé porqué esa terquedad de interrumpir mi camino. ¡Vamos, hombre, quítate del medio o te atropello con mi caballo!

El hombre provocó el relincho con el caballo y sus cascos delanteros pasaron muy cerca del rostro del franciscano.

—Está bien, don Juan, no es para que os enojéis, y por el contrario, que Dios le bendiga y guíe su camino. Quizás algún día se compadecerá de los pobres y todo cambiará...

El terrateniente continuó su camino a todo galope, perdiéndose por el camino de herradura entre la polvareda imperante. Pedro, con la humildad que le caracterizaba, levantó su mano derecha dándole la bendición que él acostumbraba. De entre los arbustos salió un indígena campesino, que se sorprendió al ver a Pedro solitario en el camino.

—Hermanite Piegre, vos por aquí solite a estas horas, ya mere tocan pa lora de la oración y no es güeno que andés solite vos y tu alma.

Pedro, muy humildemente, colocó su mano sobre el hombro del campesino y con voz persuasiva agregó:

Héctor Gaitán

—Querido hermano, quiero que aprendas algo que hoy te digo, nunca anda solo quien piensa en Dios. El siempre está con nosotros y nos cuida, por eso siempre acude a El en cualquier problema de la vida.

Al tiempo que el hermano Pedro hablaba con el humilde indígena, el viento amainaba. Una tranquilidad completa invadía el ambiente, los pájaros lanzaban al viento sus trinos y el campesino dialogaba con el santo varón.

—Tan bonite que hablás hermanite Piegre, pero no lo hagás con ese hombre malo, por poco y te echa el caballote encima, a esa gente no hay que bendecirla.

Pedro sonrió con benevolencia agregando:

—No, hermano, por el contrario, hay que bendecirlo, porque él necesita de esas bendiciones y hay que tratar porque enmiende su camino, eso será con la voluntad de nuestro Señor.

Pedro continuaba con su labor humanitaria, sentando las bases del servicio social en Guatemala, aliviando a los marginados en su improvisado hospital. No fueron pocas las ocasiones en que recibió humillaciones de prepotentes que desdeñaban su trabajo. Afortunadamente, había almas piadosas que colaboraban con su obra. Una radiante mañana del mes de marzo de 1667, cuando salía a buscar el alimento diario para sus enfermos, lucía ya un tanto demacrado por la enfermedad que le minaba. Parecía que los pájaros le saludaban a él, con gesto humilde, les contestaba:

—¡Buenos días, hermano zanate! ¡Buenos días, hermano gorrión!

Ayudándose con su viejo bordón, caminaba Pedro por las calles de la ciudad, saludando a la gente y dándoles su bendición. En las huertas cosechaban ya las legumbres, el olor fresco llegaba hasta donde él estaba, hubiera deseado tener un huerto como el que admiraba para llevar a sus gentes las mejores frutas y legumbres de la campiña. Los campesinos saludaban al día, cortando todo y probando de vez en cuando ya un rábano o una hermosa zanahoria. Al ver aquellos manjares, recordó los caldos de su tierra lejana, que se preparaban con carne fresca de res y legumbres, en Chasna y Villaflor. Qué lejos estaba todo aquello, pero él estaba feliz, sirviendo a Dios, en la tierra que tanto amaba. Un hombre obeso que dirigía a los mozos le reconoció de lejos y le invitó a recolectar las pocas naranjas que habían quedado en lo más alto de los raquíticos naranjos, en lo más profundo de la inmensa huerta.

La mayor parte del producto estaba cosechado y lo que sobraba era ofrecido a Pedro, que con humildad y agradecimiento aceptaba. En sendos canastos asomaban los apetecidos aguacates, nabos, coles y demás, aparte las naranjas jugosas que algunos mozos degustaban con el permiso del patrón.

—Bien, hermano Pedro, con mi esposa hemos dispuesto que recoja algo de lo que quedó en la huerta, no es mucho pero de algo le servirá.

Pedro, con sencillez manifiesta, agradeció el regalo para sus pobres y manifestó su deseo de traer su carretón para llevarse lo ofrecido.

—No es para tanto, hermano Pedro, basta con el saco pequeño que trae para que se lleve unas cuantas naranjas —dijo sonriendo de la ocurrencia de Pedro, de pretender llevar un carretón para llevarse las sobras de la huerta—. Pero en fin, agregó el hombre gordo —traiga su carretón, está bien.

Ya de regreso con el armatoste, vio que las naranjas estaban muy altas para alcanzarlas, pero así, ante el asombro de los mozos, Pedro trepó al naranjo para alcanzar si al caso unas cinco o diez naranjas que los mozos habían dejado. Pero sucedió algo especial, insólito, que principiaron a ver los empleados de la granja: cuando Pedro cortaba naranja tras naranja, éstas por cientos iban cayendo en el viejo carretón. Don Santiago, que era el patrón de los mozos, junto a su esposa admiraba asombrado el espectáculo.

—¡Pero mujer, no es posible lo que ven mis ojos...!

La mujer, con codicia no disimulaba, miraba cómo el carretón de Pedro se iba llenando de hermosas naranjas. Metiendo el codo en el costillar del esposo, le dijo soto voce:

—¡Es increíble lo que está sucediendo! Pero creo que es

57

mejor decirle que pare la mano, porque esas naranjas no las vieron los mozos.

—No, mujer, esto es cosa del Señor y sólo los predestinados pueden realizar semejantes milagros, déjalo que se lleve todo y no comentes nada, por favor, pero cuidado que allí viene el hermano Pedro.

—Bueno, queridos hermanos, tomé todas las naranjas, porque así me lo prometieron, muchas gracias, pero si desean me llevo sólo las que quepan en el saco.

Los esposos se vieron las caras y fue el hombre el que manifestó que de ninguna manera, que todas eran para sus enfermos y que no había ningún cuidado. Finalmente el hermano Pedro se marchó, conduciendo su carretón cargado de naranjas, mientras tanto el granjero y su esposa se sentaron a comentar el hecho en la habitación principal de la casa de campo. Aún no salían de su asombro, cuando inesperadamente llegó uno de los mozos, indicando que una vez más los naranjos estaban cargados.

—¡Patrón...! Esto es un milagro del hermano Pedro, vengan a ver por favor.

El granjero y su esposa, así como los mozos, se quedaron de una pieza al ver aquel portento de producción como jamás se había dado en la granjita. Allí estaban los arbolitos cargados de naranjas maduras listas para el corte. Pero había algo más, las hortalizas, que ya habían sido cosechadas, brotaban generosamente con sus enormes coliflores, rábanos, lechugas y frescas zanahorias.

Vecinos cercanos a la granja, poco a poco se fueron acercando al escuchar las voces de asombro de los mozos. Unos se santiguaban, otros con los brazos en cruz rezaban en voz alta, admirando la fuerza espiritual de Pedro, el predestinado de Dios que con la ayuda del Altísimo provocaba aquellos milagros.

—No cabe duda que estamos ante un milagro de Dios, dimos poco y estamos recibiendo más de la cuenta —comentó brevemente el granjero.

Mientras tanto, la esposa caía de rodillas y exclamaba:

LA CALLE DONDE TU VIVES

—¡Que Dios me perdone por lo que dije y pensé, que Dios me perdone, pero realmente el hermano Pedro en un santo!

Los portentos del hermano Pedro corrieron de boca en boca por toda la ciudad colonial y aldeas cercanas, hasta los más escépticos quedaron asombrados de lo que decía la gente. Los días fueron pasando y así llegó el mes de abril de 1667, mientras la cuaresma se manifestaba en todo su esplendor en la hoy ciudad de Antigua Guatemala. Ya para esos días los quebrantos de salud de Pedro eran más notorios, pero felizmente la gente acudía en su ayuda, es decir con la colaboración para su enfermos y pobres.

Pero entre más ayuda llegaba, más enfermos acudían con el hermano Pedro. Por aquellos años, un indígena era menos que un perro y muchos morían a la vera de los caminos, esperando la ayuda humanitaria de las autoridades españolas, que llegaba muy de vez en cuando. Pedro cumplía con aquella tarea dura e incomprendida por los peninsulares. Muchas veces a cuestas llevaba a los indígenas casi agonizantes a su hospital, donde les atendía en sus dolencias. Al ver aquellas ingratitudes, Pedro luchó por la atención de los menesterosos, entregándose en cuerpo y alma a la ayuda del prójimo, tal como lo demandaba su religión católica. Una tarde llegó hasta el convento el cruel personaje del inicio de nuestra historia, quien deseaba hablar con Pedro porque, según su mente mercantilista, tenía un negocio que arreglar con el franciscano.

—Buenas tardes, Pedro, no cabe duda que tu fama ha corrido por todos los rincones de la ciudad y precisamente vengo a proponerte un negocio, digamos un trato. Veo que tu magia, por no decir otra cosa, es magnífica y deseo que en una buena parte de uno de mis terrenos, donde la tierra es árida, nazcan tulipanes.

Pedro, con la humildad característica en él, le indicó que aquello no era magia y que era Dios quien con su bondad infinita provocaba aquellos milagros y que él era solamente un instrumento. Don Juan Peñalonzo y Figueroa, con su habitual prepotencia, indicó a Pedro que en esos terrenos había habido un accidente cuando en cierta ocasión asoleaban pólvora, ésta prendió fuego y la tierra había quedado árida, muerta y no daba nada.

—Yo te daría un buen dinero que no caería mal, si es que hacés el milagro o la magia para que allí se cosechen tulipanes—.

Finalizando la frase y soltando la carcajada, el hombre permanecía frente al santo vivo. Pedro sonrió también pero quizás de lástima por quien llegaba a proponerle el redondo negocio.

—Posiblemente, mi querido hermano don Juan, broten tulipanes en esa tierra, posiblemente, y será con la voluntad de Dios, en un día que El ha estipulado y que ya está muy cerca. Así que no hay pena, lo único que yo le pido es que la primera cosecha sea para el pueblo, para los pobres que vendrán en gran manifestación a cortarlos.

Don Juan, un tanto molesto pero aparentemente calmado, respondió a Pedro:

—Pero ese no es el trato, yo pagaré y será buen dinero, consecuentemente los tulipanes y todas las cosechas serán mías.

—Está bien, querido hermano Juan, así será, pero no me dé dinero. Después que todo pase y la primera cosecha sea entregada a los pobres, las otras cosechas serán suyas. Ya si usted quiere ayudar a mis gentes, estoy seguro que Dios se lo premiará.

Una noche silenciosa, cuando los luceros notábanse más encendidos y las luciérnagas parecían alumbrarle el paso al santo vivo, allí, en esas calles hoy centenarias, iba dejando escuchar su santo consejo:

—¡Acordaos hermanos
que un alma tenemos
y si la perdemos
ya no la recobramos...!

De pronto aquella hermosa y santa recomendación fue violentamente interrumpida por la carcajada de don Juan Peñalonzo y Figueroa.

—Buenas noches, hermano Pedro, veo que como siempre andáis con tu letanía que nadie escucha. A propósito que os veo, sigue en pie mi proposición y te digo que ya sembré algo, pero no hay señas ni de pasto en ese terreno árido...

—Todo a su tiempo, don Juan, todo a su tiempo, ya llegará

el momento y entonces si yo gano la apuesta, como ya le indiqué, no me dé nada a mí, mejor entréguelo a los pobres enfermos y dios lo premiará.

Una vez más el peninsular sonrió siniestramente, mientras que en la oscuridad de la noche un enjambre de luciérnagas iluminaban la silueta del santo. De pronto, el hermano Pedro tambaleó y fueron los brazos fuertes del español los que lo sostuvieron.

—¿Pero qué sucede, estás enfermo hombre de Dios? Es mejor que ya no sigas tu camino y te ayude a llegar al convento. Te ves muy demacrado y enfermo, menos mal que no estamos tan lejos.

A pesar de la luz de la luna, las luciérnagas continuaban iluminando el camino a don Juan y al hermano Pedro, que ya no podía dar paso. Finalmente llegaron al convento, sólo una luz débil de un viejo farol alumbraba el portón de madera.

—Bueno, ya llegamos y es mejor que toquemos para que puedas entrar— dijo el español.

—Es mejor que me quede a esperar que abran, puede marcharse sin pena, don Juan, y muchas gracias, que Dios le acompañe. Mañana por la tarde vaya a ver los tulipanes y verá qué sorpresa; hágalo pero por la tarde, buenas noches...

Don Juan cumplió con el trato, y en las horas de la tarde cabalgando llegó hasta el terreno, para ver cómo iba el proceso de los tulipanes en su crecimiento. Ya casi llegaba cuando de los templos lejanos escuchó el tañir de las campanas que doblaban tristemente. Espoleó al caballo y ahora el sonar de las campanas era más notorio, conforme iba llegando al terreno. La sonrisa del hombre se marcó victoriosa: allí estaban los tulipanes, acariciados por el viento y mostrando toda su belleza, en un área considerable

—Qué bueno que el hermano Pedro cumplió con su palabra, porque los tulipanes han crecido de la noche a la mañana, no cabe duda que fue un buen milagro, un buen milagro.

De pronto, el escándalo de una muchedumbre rompió el silencio de la tarde desviando las cavilaciones de don Juan.

—¿Pero se puede saber qué vienen a buscar ustedes a mis terrenos? —preguntó altivo el español

Una mujer fue la que respondió por todos:

—Desde ayer vimos la hermosura de los tulipanes en estos terrenos y hoy los venimos a cortar para adornar la tumba del hermano Pedro, quien después de estar en cama durante más de quince días murió ayer en la tarde.

Mientras la gente cortaba los tulipanes don Juan, incrédulo aún del suceso, hablaba solo sin que nadie le oyera:

—No, no puede ser, si anoche estuvimos platicando, y es más, lo llevé al convento, no puede ser. Eso quiere decir que yo hable con su espíritu. Dios mío, perdóname por haber humillado a un justo...

Antigua Pintura del Hermano Pedro de San José de Betancur.
(Foto de Diego Molina)

LOS VATICINIOS DE LA CHEPA

El panorama que desde la orilla del barranco apreciaba doña Chepa, viendo hacia el asentamiento marginal, era sencillamente desolador. Lo mismo de siempre, la miseria imperante y el deseo de un cambio que nunca llegaba. Gente subiendo por estrechos callejones entre covachitas amontonadas, corriendo a prisa para no ser sorprendidos por el atraco tradicional, el asalto aleve de pandilleros y drogadictos. Josefa había llegado recién casada al asentamiento hacía ya treinta años, cuando la invasión de terrenos en el barranco. Desde entonces miró pasar presidentes, alcaldes y otros políticos marrulleros que siempre ofrecieron algo sin cumplirlo jamás. Allí crecieron los patojos y se hicieron hombres, y la menor, mujer hecha y derecha, como decía don Cleofas, esposo de la Chepa. Jugaban bingo y nada, lotería menos, siempre quiso salir de aquel ambiente, pero había algo que se interponía. Se vivía al día, sin mayores progresos y siempre soñando en grandezas que jamás llegarían. "Si tan sólo el Cleofas dejara la chupadera, otro gallo nos cantara...", pensaba para sus adentros, suspirando mientras bajaba la pendiente con el balde plástico repleto de masa para las tortillas del medio día.

Ya casi llegaba a fondo del barranco habitado, cuando de pronto, con el trotecito clásico del que entrena, doña Cristy Estacuy subía para su calentamiento diario de correr diez kilómetros.

—Güenos días, doña Cristy, cómo le ha ido en las carreriadas, me parece que bonito porque hasta en los periódicos la he visto retratada...

—Pues veya, no me quejo, pero esto pasa luego porque de repente me pongo vieja y se nos terminó la cuerda, por eso hay que aprovechar lo que se pueda usté...

La sudorosa mujer, sin dejar de trotar en el mismo lugar, contestaba a las preguntas de la Chepa, que sin disimular admiraba su suéter y pantalón multicolor, así como los zapatos tenis que la deportista llevaba.

—¡Ay, quién juera usté, doña Cristy! Güena ropa, güenos rieles y güen filo, porque tiene que comer bien para aguantar esas distancias que se avienta. ¡Ahhh y güen pisto! ¿Y cómo fue que le dio por correr, doña Cristy?

—Pues veya lo que son las cosas, todo principió cuando me fui a meter de shute a una manifestación, dos polacos me quisieron capturar y no me alcanzaron. Por allí andaba don Quique, ex maratonista de los buenos y ahora entrenador, me siguió y me dijo que yo tenía porvenir en eso de la carreriada. Me entrenó, me puso al día y aquí me tiene ganando pisto en la maratones que organizan los bancos y otras gentes, y hasta otros países he conocido gracias al deporte.

—Qué bueno que yo pudiera hacer todo eso, porque hoy el pisto ya no alcanza doña Cristy.

—El asunto es que usté ya está más viernes que jueves y así no se puede, pero le voy a dar un consejo. Ahora que vienen las fiestas de fin de año, tire el huevo en el vaso de agua y allí le saldrá lo que va a pasar. Yo lo hice y me salió avión, y cabal, eran los viajes que me esperaban; haga la prueba y quítese de dudas...

—¿Cómo así, doña Cristy?

—Güeno, ponga atención: el día de año nuevo, mejor dicho cuando se espera el año, a las meras doce de la noche, en vasos nuevos se echan los huevos, como cuando usté va a hacer un huevo frito. Tira las cascaras y deja el huevo en el vaso de agua, ahí se van a formar las figuras que le tocan a cada gente, asegún su suerte y destino. Por ejemplo, si sale una forma de caja de muerto, es señal mala, significa fallecimiento; si sale una forma de velo de novia, casamiento seguro, si sale forma de bus o avión, viaje seguro al eistranjero. Esto no falla, doña Chepa, no falla y a mí se me cumplió pá que veya.

La Chepa se quedó viendo con qué facilidad doña Cristy subía la empinada cuesta con gradas, con su trotecito de siempre, perdiéndose entre callejones y covachas.

Un día más pasó en el asentamiento marginal, los débiles foquitos alumbraban el interior de las habitaciones, reflejándose en la ventanillas. Otro mañana de espera, otras ilusiones que se sueñan, el cambio que nunca llega. Gritos de riñas, insultos y carreras, policías y ladrones jugando al ratón y al gato en el laberinto de miseria, todo aunado al ruido ensordecedor de los radios a todo volumen, en un concierto raro de sonidos. Hay de todo en el asentamiento, es una caja de pandora, que trasluce su problema social de años, ante la indiferencia de todos.

Adrián entró con el ceño fruncido, algo había sucedido en las orillas del asentamiento marginal.

—Güenas noches mijo, venís como agua para chocolate.

Y no era para menos, la policía realizaba una redada y pedía papeles. Adrián se sintió ofendido cuando le confundieron con un ladrón y tuvo que mostrar sus utensilios de trabajo, sus manos blaquecinas y secas de albañil honrado.

—¡Malditos!, piensan que todos los que vivimos aquí somos ladrones. Aquí también hay gente honrada, madre, pero no tienen la capacidad para distinguir, son bestias uniformadas que se ensañan en los débiles y humildes.

La Chepa acarició los cabellos de Adrián, su mejor hijo y el más consecuente con ella. La actitud prepotente de los patrulleros le había herido hasta lo más profundo en su dignidad de hombre.

—Güeno, no hay que odiar a nadie, porque el que odeya se envenena, mijo; ya vez que te dejaron libre y reconocieron que sos un hombre honrado, un obrero.

La Chepa, muy emocionada, comentó lo que le había narrado doña Cristy. Adrián no dio crédito a tales especulaciones, indicando que él no creía en nada de eso y que su trabajo era lo único en lo que ponía todo corazón y empeño. Adrián después de comer se quedó profundamente dormido, pero siguió con Almita, su hija, quien esperaba desde hacía mucho tiempo que su novio, Ernesto, regresara de los Estados Unidos para casarse con ella. Posteriormente habló con el otro hijo, Mauricio, que era un haragán de siete suelas y que no trabajaba. Faltaba únicamente su esposo, don Cleofas, el hombre de la casa que trabajaba dos días y faltaba dos semanas al chance, por empinar el codo más de la cuenta.

—Vos Chepa, yo le entro al asunto, a lo mejor nos va saliendo viaje, entonces sí que ya la fregamos, porque abandonamos la limoneshon y nos vamos a los Estados Unidos, pero eso sí, solo los dos. Hacemos pisto por allá y regresamos a poner un negocio y posiblemente compremos una casa en la Cañada y de allí a vivir la güena vida sin tener que trabajar.

Héctor Gaitán

La Chepa lo vio con malicia, respondiendo:

—Güeno vos nunca has trabajado, pero de todos modos que te valga.

En una mesa que estaba a un lado de la ventana del cuarto, resaltaba la fotografía de Almita, la hija del matrimonio. Tomando en sus manos la foto, la Chepa exclamó:

—Lo que sí quisiera es que a la Almita le saliera velo de novia, para que el atarantado de su novio la mandara a traer de los Estates Quietos y se la llevara para hacer su vida por allá. ¡Ay, ese es mi mejor deseyo...!

Don Cleofas soñaba despierto con el cambio radical de su vida y la de su familia; imaginaba ver casada a su hija, estaba completamente seguro que algo iba a suceder en el transcurso de los días venideros. Mientras miraba por la pequeña ventana, don Cleofas respondió a su esposa:

—Güeno, muchá, no hay más que entrarle al juego del huevo en el vaso de agua, porque así salimos de apuros. Ya te hago a vos, Almita, casada y de repente nos reclamás ya estando en los Estates Quietos, Güeno, por mi parte ya sé lo que voy a pedir, Mauricio dice que es un secreto su petición, pero le preguntaremos a la Chepa qué es lo que pedirá.

Mientras la Chepa realizaba alguna diligencia doméstica en el interior de la pequeña covacha, pudo escuchar las palabras de don Cleofas. Todos habían confesado su deseo a la hora de lanzar el huevo al vaso de agua, únicamente faltaba la Chepa. Secándose las manos con el delantal, llegó hasta el centro de la habitación.

—¿De mí estás hablando, vos Cleofas?

—Güeno, estábamos aquí comentando cuál va a ser tu deseyo cuando tirés el huevo entre el vaso de agua, eso nada más, mamaíta, no pensés mal...

Almita también terció en la conversación, inquiriendo por el deseo de su madre, al momento del ritual del huevo de año nuevo. La Chepa miró a Cleofas y luego a su hija para responder:

LA CALLE DONDE TU VIVES

—Mi deseyo será el de tu tata, quiero que me salga viaje; dije viaje y no viejo, porque con el que tengo basta y sobra, pero eso sí, viaje en avión, porque ya estoy cansada de andar en ruletero. Pero como dicen que al marido le sale en el vaso de agua lo mismo que a la mujer, pues no hay pena; igual lo disfrutaremos.

Cuando entró al cuarto Mauricio, fue Almita la que le preguntó sobre la realidad de aquel proceso:

—¡Ay, Mauricio, ya me hago casada con el Ernesto y viajado a los Estates Quietos en avión! Eso sólo para darles chile a las envidiosas de la Limoneshon. ¿Pero será cierto todo eso, vos Mauricio?

El muchacho fue al grano para responder:

—Te diré que el norte se lo pasó doña Cristy a mi mamá, porque asigún dice hizo lo del huevo y ya ves, ha viajado mucho y ganado mucho pisto.

En la humilde vivienda todo era emoción y proyectos, pero en el vecindario, según la Chepa, todo era envidia y burlas para con ella y su familia.

—¿Ya vieron cómo están de chucanotas la hija y la nana...?— comentó un anciano en uno de los estrechos callejones del asentamiento marginal, agregando: —¡Aguantan que se va a sacar la lotería o no sé qué cosas van a hacer para salir de pobres! Yo creo que aquí en nuestro medio sólo recibiendo una herencia sale uno de penas, o cuando menos haciendo como que chambea de diputado...

Los comentarios corrían por toda la comunidad, siendo el punto o foco de atención don Cleofas, su esposa e hijos.

—Con decirles que ya la Almita ni habla, como que se le subieron los humos y por no ver que son más pelados que nosotros.

El que hacía el comentario era Macarrón, un malviviente despechado que no logró en su tiempo el amor de Almita. Una mujerona blanca y gorda también puso su comentario en torno a la Chepa:

—Quien no los conoce que los compre, porque dicen que doña Chepa se cantineó a don Cleofas cuando él era más joven. Y qué decir del tal Mauricio, que es un haragán que nunca ha trabajado, se ha ido de mojado a Los Angeles y siempre lo han regresado...

Los comentarios en contra de la familia de la Chepa proliferaban, pero don Cleofas, por el contrario, se sentía seguro de su porvenir, estaba seguro que algo bueno sucedería.

—Vos Chepa, ya me siento gente importante, porque de verdá andamos en boca de toda la gente, nos tienen envidia, mujer. Pero te juro que cuando salgamos de aquí hasta les vamos a regalar la covacha.

Josefa, por el contrario, un tanto enojada por los comentarios, indicó que estaban ardidos, porque ellos, la Chepa y su familia, no eran gente corriente. El tiempo continuó su marcha, Cleofas seguía construyendo castillos en el aire, las fiestas de fin de año se acercaban y la emoción en la familia era notoria. Todos esperaban el momento de lanzar el huevo al vaso de agua, para salir de penas, con la seguridad de que algo positivo les llevaría aquella operación, que felizmente les había comunicado doña Cristy. La música navideña invadía el ambiente, en los pequeños radioreceptores proliferaban las versiones norteamericanas y una que otra ranchera o tropical que cada año resobadamente se colocan en tornamesa.

—¡Ay, vos Chepa, siempre que oigo la música navideña pienso que ya pronto saldremos de apuros! Quisiera que los días pasaran volando, dormirme y que me despertaras diciéndome: Vos Cleofas, ya es 31 de diciembre y hay que comprar los huevos y los vasos nuevos, porque el asunto tiene que ser en vaso nuevo, sin que nadie lo hayga usado, asigún dijo doña Cristy.

Naturalmente que no hubo necesidad que don Cleofas de durmiera, el tiempo paso y finalmente llegó el esperado 31 de diciembre. Unicamente Adrián era el que no daba crédito a tales especulaciones, el muchacho continuaba laborando honradamente, esperando solamente el día sábado para recibir su sueldo. El último día del año lucía soleado y los cohetillos esporádicos sonaban en los callejones de la colonia marginal. Los niños correteaban por las callejuelas sorteando los ríos de aguas negras a flor de tierra, mientras en las esquinas algunos drogadictos discutían el precio de un "purito" al que le habían subido el precio de la noche a la mañana. Ya en las últimas horas de la tarde, los radios a todo volumen formaban mezcolanza de sonidos, entre música y promociones publicitarias. La fecha esperada por la familia de nuestra historia se aproximaba a minutos apresurados.

Sobre una mesa de mantel blanco, la Chepa colocó los vasos y los respectivos huevos para la operación. La mujer pensaba en el paradero de don Cleofas, que desde las primeras horas de la mañana había salido y aún no regresaba.

—Güeno, les reparto a cada quien su huevo y su vaso de agua, los tiraremos allí para ver qué pasa. Son ya las once de la noche y en una hora saldremos de dudas...

El inicio del ritual fue roto cuando don Cleofas entró cantando una ranchera de la época.

—Ya se va diciembre, ya es año nuevo, la la la lalala. Güeno, agora a ver que pasó con los huevos y lo que nos depara la suerte que espero todo sea en bien de todos.

La Chepa fulminó con una mirada a su esposo, al ver en las condiciones que llegaba a la humilde covacha.

—¡Ay, vos Cleofas, ya no te componés por Dios Santo, qué dirá la gente, pior agora que ya somos gente importante!

—Más mejor tiremos los huevos y dejate de sermones, que hoy todo cambeya para nosotros.

—Bien, primero el vaso de Mauricio. Púchis, se está formando una caja de muerto, no hubo necesidad de esperar la hora indicada. Ahora vamos con el de Almita, le sale nada menos que velo de novia. ¡Ay, se nos hizo, se va a casar la patoja, qué alegría! Ahora en el vaso de Cleofas, me sale nada menos que un bus, se está formando el bus, véanlo con sus propios ojos. Es indudable que es señal de viaje. Ay, Cleofas, aunque seya en ruletero viajamos a los yunaites ¡Qué alegría! Güeno a mí no me salió nada, pero con lo que le salga a mi marido basta. El único que me apreocupa es el pobre del Mauricio, pero creo que pagando una buena mordida no se nos muere, el pisto todo lo arregla.

Héctor Gaitán

La fiesta del año nuevo pasó y al regresar al escenario de nuestra historia, sentada y desconsolada en la puerta de la covacha, la Chepa visiblemente triste narraba a una amiga su desgracia:

—¡Ay, lo que es la vida, doña Teco, seya por Dios! Todo nos salió de otro modo con los mentados huevos que nos aconsejó doña Cristy. Afigúrese, no tenía miedo por la caja de muerto que le salió a mi Mauricio, pero le salió cierto porque la casualidá que cuando el patojo iba pasando por allí por la 12 avenida, en una carreta de mano llevaban unas cajas de muerto, una de estas de zafó y ¡zas! que le caye al patojo encima y total que los bomberos se lo llevaron al hospital, porque bien que le lastimó una canilla el riatazo. El tal velo de novia, resultó que el que se casaba era el aguambado del Ernesto, novio de Almita, pero se casaba con otra mujer en los Estados Unidos y, para variar, lo del bus y el viaje también se le cumplió a Cleofas, porque ya socado hoy en la mañana, por parar una camioneta, paró al "Pájaro Azul", el bus de la policía que acarrea con los bolitos, y se lo llevaron jalado a la zona 18 y ahora no tenemos ni para la multa. Todo se cumplió pero al revés...

En el fondo del barranco y muy cerca del chorro, se ubicaba la humilde casa de lepas de la Chepa.

LA TONA

El puente de la Gloria se retrataba en las cristalinas aguas del río. Las inmundas manos de la contaminación aún no tocaban aquellos parajes y el verde jade de las montañas cercanas daban al paisaje un marco único de belleza natural. Eran otros tiempos, los tiempos anchos que vivieron los abuelos, cuando la ingenuidad se hacía presente en las distintas capas sociales de un conglomerado tranquilo y manso. En la residencia —antes se decía casona— de don Martínez, así le llamaban los mozos a su servicio, laboraba como doméstica Antonia, linda patoja campesina oriunda de una aldea cercana y que la madre había entregado "por tinta y papel" a la esposa de don Martínez.

El pequeño terrateniente, hombre sesentón de grandes bigotes amarillentos, contaba los días para que finalizara 1906, un año no tan tranquilo, ya que la guerra con El Salvador había hecho tambalear la situación económica de aquella Guatemala. Don Martínez no era realmente como lo pintaban, tenía su lado bueno y de "cuando en vez", como decía la gente, se tomaba los tragos con los campesinos de su pequeño feudo. Antonia ya estaba "en edad de merecer", palabras textuales de la comunidad campesina, que con apenas 16 años hacía suspirar a los rudos hombres del campo. Aparentaba más edad, de cintura breve, sus brazos gruesos y labios carnosos en forma de corazón, provocaban tempestades sentimentales en más de un joven campesino. Su sonrisa y coquetería disimulada hacía pensar que cuando iba rumbo al río, con su caminar cadencioso, quizás deseaba un beso.

Comentaban las comadres de la finquita que el secreto de la lozanía de Antonia era frotarse el rocío mañanero del pasto verde y de vez en cuando untarse un tantito de achiote en las mejillas. Los piropos se los sabía de memoria y aunque apenas sabía leer y escribir los anotaba a hurtadillas en un viejo cuaderno. Por las noches, a la luz de una candela, los leía una vez más y sonreía de las ocurrencias de los hombres. En aquellas noches amatitlanecas, la Tona tejía fantasías y esperaba príncipes azules o de cualquier color con tal de conocer algo más de la vida.

El aire provinciano jugaba con la negra cabellera de la patoja, cabellera que le daba a la cintura; rizos que le iban cayendo sobre la frente y que al sonreír la hacían más irresistible ante los hombres, que según el decir popular de la región, "la vigiaban" cuando iba rumbo al río. "Quién fuera aire o agua del río, aire para besar su cuerpo y agua para acariciarla". Otro piropo más que añadía a su colección. Quien gritó el piropo no tuvo el valor para dar la cará y lo hizo escondido entre la maleza cercana al río. Antonia solo sonreía y con aquella actitud ponía en el avispero al conglomerado masculino.

—Tené cuidado, patoja bruta, tené cuidado— le indicaba la vieja Valeria, —no ves que una patoja como vos y con tantas envidias tiene que cuidarse de no lavar sus calzones en cualquier parte del río; no seas tonta que te pueden hacer brujerías, hay hombres que son bien mañosos y más de uno te lleva ganas.

La Tona siguió su camino sonriendo de las palabras de la anciana, haciendo caso omiso de los vaticinios. Sólo la pequeña polvareda que iba dejando con sus anchas enaguas se apreciaba en la estrecha vereda, que la llevaba rumbo a las piedras que servían de lavaderos en la orilla del río. Paró un momento y levantando el rostro pareció que con sus grande ojos deseaba abarcar todo el paisaje, con el río y el viejo puente de la Gloria. El canto de los pájaros, el suave viento y el característico ruido de las aguas del río era lo único que interrumpía aquella tranquilidad.

La corriente jabonosa y blanquecina iba chorreando por las piedras hasta caer irremediablemente en las aguas del río. Las palabras de doña Valeria las recordó una vez más Antonia, y por momentos dejaba de lavar para meditar profundamente en lo que dijo la campesina. "¿Y quién me puede brujiar a mí, si no le he hecho mal a naidien?", pensaba en voz alta, cuando de pronto una piedrecita cayó en una pocita que la patoja formaba con sus bien formadas piernas. Luego otra y otra más. De inmediato y por pudor provinciano se cubrió las piernas dejado que las enaguas cayeran al río y se mojaran los vuelos. Cuando cayó la última piedrecita, sus ojazos se posaron en el sitio desde el cual le lanzaban los inofensivos proyectiles. Solo sonrió picarescamente al gallardo muchachito que le había lanzado la piedra.

—Buenos días, hermosa— dijo el hombrecito a manera de saludo.

Bajó poco a poco del árbol donde estaba y se fue acercando al sitio donde Antonia lavaba su ropa. Esta quedó asombrada admirándolo de pies a cabeza; no era como los mozos de la pequeña finca, mal hablados y chorreadotes. Este era distinto y cuando le hablaba sentía como que le hacían cosquillas atrás de las orejas, lo que más le llamó la atención fueron sus botas negras de charol, que lucían más brillosas con el sol en la vera del río. El hombrecito y la Antonia platicaron de mil cosas. "Ojalá le viera otra güelta", pensó Antonia, haciéndose la seria después de la sonrisa que le dirigiera el extraño, que llegó al extremo de acariciarle su larga cabellera, sin que la muchacha opusiera resistencia alguna.

Al otro día la noticia se generalizó y corrió de rancho en rancho, hasta llegar a oídos de don Martínez, quien, con su estilo de cacique, llamó urgentemente a la muchacha para que compareciera ante él. Anticipadamente había llamado al resto de la servidumbre para que sirviera de ejemplo la amonestación que dictaría.

—Tu nana te entregó a nosotros por "tinta y papel"; en toda la finca y aldeas se sabe de tus "juntas" con un desconocido que por sus trazas no nos hace dos cosas buenas. La próxima vez que yo sepa o que con mis propios ojos te mire con él, encomendá tu alma al cielo porque soy capaz de cualquier cosa, porque todavía no estás en edad de pensar en asuntos serios.

Después de la llamada de atención y para sentar un precedente, don Martínez se quedó sumido en la mecedora, sobándose el mostacho. Antonia aún permanecía sentada frente al hombre, con la vista en el suelo, sin contestar palabra. Un silencio absoluto invadió la habitación; sólo el ruido de la lámpara de gas se escuchaba, haciendo segunda a los grillos y ranas que croaban en el arroyuelo del enorme patio. Las malas lenguas aseguraban que don Martínez respiraba por la herida y que estaba celoso de la patoja; únicamente esperaba la ocasión para conseguirse a la Tona en el momento menos pensado. Ya cuando solo Antonia y don Martínez quedaron frente a frente, la voz del viejo pareció más persuasiva.

—Tona, mija, mirá no seas tontita, no le hagás caso a naidien, yo sé porqué te lo digo...

Las palabras persuasivas de don Martínez salieron de sus labios como un susurro para que nadie escuchara. Los comentarios callejeros se hacían realidad, la Antonia lo comprobaba personalmente, el anciano estaba enamorado de ella. La muchacha sonrió nuevamente, con esa sonrisa que atraía a los hombres y los doblegaba. Don Martínez quiso incorporarse y llegar hasta donde estaba sentada Antonia, pero la llegada inoportuna de la esposa frustró el intento. Al otro día la novedad dejó perplejos a los mozos de la pequeña finca: uno de los campesinos había descubierto que los caballos, yeguas y burros habían amanecido trenzados con unos nuditos indesatables. Por aparte, don Martínez no pudo pegar los ojos en toda la noche porque alguien le colocó garrapatas en las chamarras y sábanas, además se comentó que le pasaron tirando terroncitos de tierra desde el cielo raso de la habitación. Sin averiguar de quién se trataba, el señalamiento fue general: ¡Fue el Duende!

—Por baboso güelvo a vigiar a la Tona— dio uno de los mozos al conocer lo que le pasaba a don Martínez. Otros más atrevidos le siguieron hasta el río, donde Antonia platicaba con alguien al que ellos no miraban. Conforme pasaron los días, don Martínez se puso más flaco que un bejuquillo. Cuando se disponía a tomar sus alimentos, misteriosamente alguien lanzaba estiércol fresco en los platos; ni el café respetaba aquel ente del mal. Poco a poco don Martínez fue consumiéndose hasta fallecer a los dos meses. Mientras tanto, Antonia seguía rebosante y, según el decir de los vecinos, más loca que una cabra. Ya nadie la siguió al río por temor a enfrentarse con el duende, hasta que una noche el curandero de la finca, cuando llegaba procedente de Tacatón, pudo ver en la orilla del río a la Tona y el duende en grandes cuchicheos amorosos. Sólo la risa burlona de Antonia se confundía con el ruido de las aguas que sutilmente se estrellaban en los viejos muros del puente de la Gloria.

Ya nadie se metió con la Antonia, le tenían temor, si al caso de lejos la saludaban, pero los piropos y las majaderías que antes le decían habían desaparecido. Ahora los campesinos trataban de no encontrarse con ella y deliberadamente le marginaban. Una mañana soleada y tranquila todos vieron pasar rumbo al río a la guapa criolla a quien apodaron "La Contenta". Antonia se fue perdiendo por la vereda que daba al río, dejando apreciar su rítmico andar provocativo. Nunca más regresó a la finca.

Aquel domingo de mayo, después del medio día, la tormenta se anunciaba fuerte allá por los cerros del sur; el manto gris corría cubriendo valles y montañas con rayos y truenos, regando las milpas recién sembradas. Todos temían por la suerte que hubiera corrido la muchacha. Al principio se resistieron a inquirir por su paradero, pero uno de los ancianos hizo la sugerencia:

—¡Hay que hacer algo por la patoja, porque el aguaje viene juerte y en nuestras conciencias pesará si algo le pasa!

En ese momento los campesinos salieron en auxilio de Antonia, unos iban con machetes, otros con palos y las mujeres más creyentes con crucifijos para ahuyentar al maligno. La lluvia había llegado con fuerza hasta los contornos del pequeño feudo y tomaron el camino que daba al río. El puente de la Gloria lucía más triste, la lluvia generosa bañaba sus muros y a lo largo de la orilla del río no se apreciaba a ningún ser viviente. Fue la anciana Valeria quien pudo distinguir, a pesar de la fuerte lluvia, en la orilla del río, el canasto de ropa de la muchacha, visiblemente sin señas de la patoja.

Alguien principió a rezar, todos le imitaron y los campesinos, uno a uno, se fueron descubriendo, quitándose el sombrero en señal de respeto. La lluvia ahora parecía más fuerte, los rayos caían cerca y hombres y mujeres se santiguaban a cada instante. El comentario general fue que Antonia había sido arrastrada por la corriente, pero doña Valeria, después de musitar una oración y persignarse de nuevo, fue tajante al indicar:

—No hay tales, a la Tona se la ganó el duende...

La Tona con su belleza campesina atraía
a los hombres sin proponérselo...

EL MONJE DEL
CALLEJON DE LA CRUZ

El temblar de las láminas por el viento imperante hacía más tétrico el ambiente en el estrecho callejón, Después de las seis de la tarde ya no caminaba nadie por el sector, la noticia de la aparición del monje provocaba el retiro del más valiente rumbo a sus habitaciones. Si al caso algún valiente se aventuraba a espiar por la rendija de la ventana, los patojos eran los primeros en meterse a la cama y algunas esposas rebosaban de alegría al saber que el marido estaría puntual, antes de las seis en la casa. Todo cambió en el sector, porque hasta a las abuelas les prohibieron contar cuentos de espantos y aparecidos a los patojos con tal de no provocar más miedo del que se respiraba y sentía en el vecindario. La mayor parte de las ancianas, en sus respectivas casas, rezaba el rosario, controlando a los patojos que no sólo movieran los labios, sino que, por el contrario, el mensaje oral llegara al Todopoderoso.

Don Hilario, el más anciano del callejón, hacía sus comentarios en voz alta:

—Hoy sí que andan todos asustados con las apariciones del mentado monje.

Después del comentario, don Hilario soltó la carcajada que se escuchó hasta la calle, pues se comentaba que la noche anterior algunos le habían visto. Nuevamente sonrió y fue cuando doña Engracia tomó parte, criticando el comentario y la risa del viejo vecino.

—Eso no es cosa de risa, don Hilario, de repente se le aparece a usté, a ver que hace y deja de estarse riendo. Ya es una persona mayor y debe dar el ejemplo de seriedá y no andarse burlando de los espantos porque puede salir tirado.

El comentario tomó visos de discusión entre los ancianos, cuando don Hilario respondió:

—Pues veya, doña Engracia, yo como no salgo de noche, ni pena tengo. Eso es para los que se desvelan y andan parando la cola...

Héctor Gaitán

—Perdonen que me meta en lo que no me importa— manifestó Cirilo, un patojo quinceañero más shute que el aguijón de una avispa, agregando: —A mí no me lo creyan, pero dicen que el espanto o el monje ese, cuando viene al callejón se para justamente en el balcón de la casa de doña Matilde, la madre de Pepita.

Todo fue asombro para el grupo de vecinos que ya se había formado en un sector del "Callejón de la Cruz". Nuevamente intervino don Hilario, indicando:

—Eso está más pior, vos patojo, porque el pobre de don Braulio, esposo de doña Matilde y padre de Pepita, ya está muy enfermo y asegún dicen de repente les da un susto y no vaya a ser la mala suerte que ya la muerte le está rondando.

El grupo, visiblemente preocupado, escuchaba atento a don Hilario, quien hacía ademanes en torno al estilo de caminar del famoso monje, agregando:

—Yo lo he visto con estos ojos que algún día se comerán los gusanos, y en una ocasión por poco y nos chocamos en la oscurana cuando salí a comprar unos cigarros a la tienda.

Doña Engracia casi lo fulmina con una mirada poco agradable, replicando:

—Tenga gracia, don Hilario, eso de que la muerte le está rondando a don Braulio ni se dice, menos que usté se chocó con el espanto.

Don Hilario, tomando un aire de importancia comentó:

—Pues pa que veya, yo como hombre de años tengo mis dudas de que el tal espanto seya nada menos el de Aurelio Estrada, un muchacho que ya hace años se metió a estudiar para sacerdote, pero luego se arrepintió, por haberse enamorado perdidamente de una guapa mujer de por aquí. La pobre patoja murió cuando la peste de la gripe española y él se quedó muy triste, al extremo que murió en la mayor pobreza. Y contaban, que conste, que en un tiempo el tal Aurelio espantaba por este rumbo, pero de eso ya hace algunos años, cuando yo estaba más joven y no mal parecido.

78

LA CALLE DONDE TU VIVES

El comentario de don Hilario fue cerrado con una sonora carcajada que asustó a los presentes y más a doña Engracia.

—No es lo que digo pues, don Hilario no puede hablar nada en serio, siempre mete alguna charada y hasta se echa flores. Tenga cuidado, que el que mucho ríe mucho llora— comentó en voz alta la anciana.

El viento, formando remolinos pequeños, lamía el empedrado elevando papeles y alborotando el polvo, las láminas temblaban produciendo un ruido más tedioso y monótono. Todos se retiraron y el callejón quedó solitario, como ánima en pena, esperando la aparición del famoso monje que tenía en el avispero al vecindario completo y angustiosos a los trasnochadores.

—Menos mal que yo duermo hasta el fondo de la casa, hasta allá adentro, si no, la cosa estuviera chivada por la fregada que llevaría durmiendo en uno de los cuartos que dan a la calle— . Jacinta hablaba sola al momento que preparaba la medicina de don Braulio para dársela en ese momento. Atravesó el corredor hasta decir compermiso en la entrada del dormitorio del patrón. — Güeno, don Braulio, hoy sí que no me huye de la medicina, porque ya hasta andan inventando que la huesueda le anda rondando y eso sí que está mal, porque no hay que darle gusto a la gente y tiene que ponerse bien para seguir dando batería con su trabajo honrado.

—Ay, Jacinta, yo creo que si no me levanto de esta ya la amolamos. Pero decime, ¿qué es lo que comentan del espanto que está saliendo por las noches y se para justamente frente a la casa?

—Púchis, pensé que no lo sabía, esa sí que es güena seña, porque ya esta mejorando, don Braulio. Güeno, así dice la gente, pero es mejor no creyer en esas cosas porque termina uno por espantarse.

Don Braulio, después de muchas dolencias, volvió a sonreír de lo comentado por Jacinta.

—¡Ojalá tuviera yo unos treinta años menos, para vérmela con ese espanto.

A lo dicho por su patrón, la empleada, guardando el frasco

con jarabe, respondió:

—¡Ni Dios lo quiera, es capaz que intonces sí se nos muere dialtiro, don Braulio!

El hombre desde su lecho de enfermo sonrió a pesar de los dolores que le causaba su propia risa.

—Mejor no me hagás reír porque me duele todo el esqueleto, vos Jacinta, pero ya me estoy sintiendo mejor y veremos que hacemos.

Cuando entró Pepita al cuarto de su padre se alegró al verlo más repuesto, los negros ojos de la bella joven se agrandaron más de la cuenta por la mejoría de su papá. Sentada en la orilla de la cama, Pepita bromeó con su progenitor y dándole un beso en la frente le dijo:

—Qué bueno, papá, que ya te veo muy mejorado, eso me alegra y no cabe duda que muy pronto te vamos a ver caminando por toda la casa.

Don Braulio, acariciando a su hija, agregó:

—¡También correteando al espanto ese del que todo el mundo habla, hija mía!

Un tanto conturbada por lo manifestado, Pepita esbozó una sonrisa fingida, agregando que esas eran habladurías de la gente del vecindario, asegurando que ella no creía en espantos, o de repente, indicó, el espanto me quiere enamorar. Don Braulio, cambiando el semblante y en forma muy directa respondió a su hija:

—Eso sí que no, no admito ni vivos, mucho menos muertos que vengan a enamorar a mi hija, aún no estás en edad y bueno que diría la gente.

Pepita se levantó lentamente de la cama y respondió que la gente no tiene nada que decir, justificando que ya tenía veinte años.

—Si me descuido me quedo para vestir santos y ese no es

mi deseo.

—Pues mientras yo viva, aquí no entra nadie todavía, hasta que yo lo disponga y sepa quién es el hombre merecedor de tu cariño y de mi confianza.

Don Braulio poco a poco fue recuperando su salud, al extremo que había dejado la silla de ruedas y caminaba por la casa apoyándose en un bastón. Pero para colmo de males el mentado espanto continuaba haciendo de las suyas entre el vecindario del legendario Callejón de la Cruz, en el viejo barrio de la Recolección. La comidilla del día era la aparición del monje misterioso, supuesto ente del mal que tenía con la camisa levantada a los vecinos del callejón y que a pesar de las quejas de la gente seguía en las andadas.

—Veyan lo que son las cosas, ahora dicen las malas lenguas que es a la Pepita a la que quiere ganarse el monje misterioso—. Una vez más, don Hilario llevaba la voz cantante entre el grupo de vecinos que comentaban los últimos acontecimientos en torno al espanto.

Doña Engracia, con el canasto vacío, le ripostaba al anciano su proceder y comentarios.

—¡Ay, tenía que ser don Hilario, siempre con sus ocurrencias por Dios Santo, lo que es que no tenga que hacer el hombre!

—Pues no va lejos el asunto, porque dicen que el espanto cabalmente allí se para en el balcón donde duerme Pepita, y lo pior del caso es que ya son varias gentes las que han visto allí al famoso monje.

Incrédula y satírica, la anciana respondió:

—¿Pero acaso usté lo vio pues? ¿Y tuvo el valor de hacerlo, viejo miedoso...?

—Pues pá que veya y se dé un quemón de mi valor, quiero hablar con Braulio, ahora que ya está más repuesto, y ofrecerme como voluntario para preguntarle al espanto en qué penas anda. A lo mejor hasta dejó pisto enterrado y quiere que alguien lo saque...

La tertulia en torno al espanto continuaba y un patojo shute escuchaba la conversación de los mayores, asunto que no era bien visto en aquellos tiempos. La dama retomó el tema:

—Pues así ya cambeya la cosa, si se trata de ayudar a don Braulio; es más, hasta yo con otras gentes nos ofrecemos... ¿verdá, vos patojo?

—¡Púchis, nos ofrecemos somos muchos, yo por papo le entro al asunto!

El espectro del monje ya había hecho crisis en el vecindario y en una ocasión, ya repuesto don Braulio, citó al vecindario para tenderle una celada al supuesto espanto. Tomando una pose ya preparada y aún sosteniéndose en su bastón, tomó la palabra para dirigirse a los vecinos:

—Señoras y señores, queridos vecinos del Callejón de la Cruz, les agradezco su valiosa colaboración y solidaridad al estar a mi lado con motivo del problema del espanto del monje, pero creo que tenemos que trazar un plan de ataque y capturar al espanto, aunque a un ente no se le puede capturar, pero por lo menos lo alejaremos de aquí. Menos mal que no está Pepita ni su madre para que no se den cuenta del plan que elaboraremos, naturalmente contando con la colaboración de todos ustedes.

El murmullo de aprobación fue general de la gente que se congregaba a la casa de don Braulio. Fue don Hilario el que posteriormente tomó la palabra para responder y apoyar al padre de Pepita:

—Güeno, je je je, creyo que lo mejor sería poner a tres hombres en cada esquina, para que el espanto no tenga escapatoria, eso sí, con güenos garrotes por aquello de los temblores y el resto de vecinos que estén listos para salir todos juntos, para que a la hora de la hora no le vayan a dar un leñazo a doña Engracia en la oscurana, ja ja...

—¡Ay, don Braulio, más mejor no tome en cuenta a ese viejo shute porque no dice nada en serio y puede a echar a perder el plan!

LA CALLE DONDE TU VIVES

Don Braulio, un tanto enojado, somató su bastón en el suelo llamando al orden, indicando que allí no se iba a pelear, manifestando que se estaba tratando de resolver un problema grave que involucraba al vecindario. A la vez, por votación unánime, se acordó que el padre Tomás estuviera presente, para darles una manita por aquello de las dudas, palabras textuales de don Braulio.

Todo se preparó convenientemente, con la ayuda del vecindario del viejo Callejón de la Cruz, en el barrio recoleto. El plan no podía fallar, ya que cada vecino estaría en su puesto, con su respectivo garrote en mano. ¡Aquella noche aparentemente todos dormían! De pronto, en la esquina de la segunda calle, fue asomando un bulto que al acercarse tomaba las características de un monje con su habito y el capuchón que le cubría la cabeza y escondía el rostro. Caminaba lentamente, ante la expectativa de los vecinos que espiaban desde las ventanas y puertas entreabiertas. Todas las casas estaban con las luces apagadas; don Braulio y don Hilario esperaban atrás de la puerta, listos para entrar en acción. Los dos hombres comentaban en voz baja el momento que estaban viviendo:

—¿Listo, don Hilario? Parece que allí viene el espanto. ¿Quién le preguntará en qué penas anda?

—Yo creyo que usté...!

Fue don Braulio el que respondió de inmediato:

—¡No, mejor usted, que tiene más experiencia, pero bueno, lo haré yo; total, pase lo que pase, es mi problema, pero nunca pensé que fuera tan miedoso!

El misterioso monje había pasado de largo en lo que los dos hombres discutían, pero fue don Braulio el que cayó en la cuenta de que el espanto como que esperaba una señal justamente frente a su casa.

—¡Qué raro está todo esto!— replicó el hombre, cuando de pronto el espanto regresaba. Don Braulio continuaba espiando al anciano que no fuera a echar a perder el plan con su risita nerviosa.

—Güeno, si el espanto deja algo de dinero hay se acuerda

que yo estuve a su lado y no se vaya a quedar con todo el pisto, je je.

—Cállese, por favor, que ya viene!

Pero en aquel momento de tanta expectación y miedo fue don Braulio el que preguntó con potente voz:

—¿Sos de esta o de la otra? ¿Decime en que penas andás?

De pronto, el supuesto espanto sólo tuvo tiempo para gritar:

—¡Soy de la Parroquia y... Aaaayyyyyyy no, por favor no me peguen!

Pero fue tarde para explicaciones, porque el vecindario cayó sobre su presa garrote en mano dándole de palos como si fuese piñata. Y en realidad no había tal espanto, era nada menos que el novio de Pepita, que usaba aquel disfraz de monje para poder verla por las noches, pero el pobre quedó tal golpeado que apenas podía articular palabra. Ante aquella situación, el vecindario quedó consternado y por votación general solicitaron a don Braulio que diera su consentimiento para que el muchacho fuera novio oficial de Pepita y, naturalmente, don Braulio ante la presión popular dijo que sí...

Las viejas leyendas del barrio recoleto, narraban las apariciones de un monje en el Callejón de la Cruz

"EL CABALLO RUBIO" NO HA MUERTO

Aun cuando le seguimos la huella dejamos de verlo como un año completo, y la última vez que le saludamos le vimos en perfectas condiciones. Gabriel García Reyes constituye una leyenda viviente y le conceptuamos como el último personaje típico de la ciudad, de una Guatemala que ya se fue con los cambios del modernismo. Al hablar de personajes típicos de la ciudad de Guatemala, recordamos a varios de ellos, como a los Chocanitos, la Mosquita, Nacho Cajón, Panchito Bonito, y otros que conformaron una pléyade de personajes muy conocidos por nuestros abuelos.

La entrevista fue preparada gracias a la colaboración del fino y joven amigo Emilio Flores, de la "Divina Providencia II", donde ocasionalmente llega Gabriel. Cuando Milo nos llamó a la oficina y nos indicó que "El Caballo Rubio" nos esperaba y que estaba dispuesto a tomarse una foto, dejamos todo y partimos rumbo a la cafetería de Emilio. Cámara y Grabadora, todo estaba listo para entrevistar al último de los personajes típicos de la ciudad de Guatemala, el hombre que muchos creían muerto. Allí sentado nos esperaba Gabriel, con su inseparable sombrero de cuero y su indumentaria clásica en él y, más que eso, con una educación y humildad que le distingue. Fervoroso católico, lleva consigo su enorme cruz en el cuello y una serie de medallas religiosas abajo de la camisa.

—¿Cuántos años tiene, Gabriel?

—Como perdí los papeles o me los perdieron, creo que ya voy por los 83.

—¿Dónde nació? ¿Cómo llegó a Guatemala?

—Nací un 18 de marzo de un año que no recuerdo, en Salamá, Baja Verapaz. Llegué muy joven a la capital, soy hijo de Andrés García y de Rosario Reyes Hernández, ellos fueron mis padres y los recuerdo con mucho cariño, así como a mis hermanos; ya la mayoría han fallecido.

Cuando Gabriel indicaba su edad, interviene Emilio, diciendo que posiblemente tiene más edad ya que su abuela, doña

Héctor Gaitán

Patrocinia Melgar, que ya cuenta con 70 años de edad, le conoció cuando ella era una niña. "Posiblemente pasás de los 90", indicaba categóricamente Milo. Gabriel insiste que no. Continúa la entrevista y la cámara ha principiado a disparar.

—¿Quién le puso el apodo de "Caballo Rubio"?

—Fueron los patojos de por la Avenida Bolívar, yo los maltrataba en aquel tiempo, pero eso ya pasó, tal vez fue porque yo me cargaba a la espalda varias libras de carne de marrano que iba a dejar al Mercado de la Presidenta y a la Placita Quemada...

—¿Recuerda a don Manuel Estrada Cabrera, ex-presidente de Guatemala?

—Claro que sí, en ese tiempo vivía por la Castellana y la cosa estuvo fregada porque hubo "bulla", hasta que cayó don Manuel...

—¿Por qué el apodo de "Caballo Rubio"?

—Yo me cargaba hasta 500 libras de carne de marrano, estaba muy joven y por el andadito los patojos, le repito, así me pusieron y me quedó el apodo para siempre.

—¿Qué más nos puede contar de la Guatemala de antes?

—Recuerdo al general Ubico, con ese hombre no había cuentos y terminó con los ladrones, la capital era pequeña pero muy limpia, era otro tiempo que añoramos. La feria de noviembre y la montaña rusa, es otra cosa que recuerdo muy bien; no se pagaba la entrada como en la actualidad, que hasta para entrar a la Aurora hay que pagar. Pobre el general Ubico, ya se murió y que Dios lo tenga en su gloria; creo que fue un buen presidente. Ahora doña Marta, su esposa, a saber qué se hizo, porque no la volví a ver; vivía allá por la 14 calle y siempre los he respetado. Lo único que no me gustaba era que los patojos malcriados me gritaran: ¡Caballo Rubio!, pero los apedreaba y le cuento que tenía buen pulso. Ahora ya no me importa que me digan el apodo, porque mucha gente joven ya ni me conoce y pocos me lo dicen, pero no me lo gritan, yo lo he aceptado.

Gabriel García Reyes, nombre completo del famoso

88

LA CALLE DONDE TU VIVES

"Caballo Rubio", prosigue su charla, algunas veces equivoca fechas y personas, pero en la mayor de las veces retoma el tema casi cronológicamente. De ojos pequeños casi cerrados, escudriña en el horizonte como queriendo recordar otros datos. En algunas ocasiones Emilio Flores interviene, y es lógico, porque con el abuelo de Emilio y su familia Gabriel laboró por muchos años. Milo le va rectificando datos y fechas y nuestro entrevistado asiente. Las personas que ya llegamos al medio siglo, le recordamos dando la bendición a las locatarias de la Placita Quemada, allá por los años de 1950.

—¿Recuerda cuando le daba la bendición a las señoras locatarias del Mercado de la Placita Quemada?

—Claro que sí, todavía lo hago pero sólo con los amigos y con quien lo solicita. Hay mucha perdición en el mundo, pobre la gente que sufre guerras, rezo mucho por ellos.

—¿Qué hace para mantenerse tan bien de salud?

—De vez en cuando me tomo mi cervecita con dos huevos crudos, caldo de res, muchas verduras y carne de res, ésa ha sido mi alimentación y levantarme muy temprano, también me acuesto muy temprano. Donde vivo ya muy de mañana les tengo el café caliente para el desayuno...

—¿Qué es lo que más desea Gabriel García Reyes?

—Viajar, deseo conocer España y otros países, ojalá no me muera sin hacerlo. Soy muy pobre pero primero Dios lo haré algún día, porque quiero vivir más años. Yo a mis superiores les digo patrón o patroncinto, es el trato que debe dar la gente con educación, siempre con educación.

—¿Cómo era antes la vida de los chapines?

—Mucho más barata, digan lo que digan pero más barata. Por ejemplo, en tiempos de don Jorge Ubico, usted comía bien con poco y le alcanzaba lo que ganaba, pero ahora, por Dios Santo, todo está distinto.

Gabriel García Reyes, el famosos como legendario "Caballo Rubio", nos sigue contando su vida y va haciendo las comparaciones de las épocas que ha vivido. De un oído envidiable, capta las preguntas que le vamos formulando y las contesta rápidamente.

—Contaban las abuelas que usted para ser fuerte tomaba sangre de toro, ¿qué hay de cierto en eso?

—La sangre de toro hay que tomarla con mucho cuidado, porque el mucho alimento también hace mal. Es cierto, me tomaba mi vasito pequeño en el rastro de ganado mayor.

—¿Tiene amigos actualmente de su época?

—Lamentablemente ya han muerto todos, pero los más recientes fueron el finado Flavio Mazariegos, Pablo Cruz y Tello, que como le repito ya murieron. Jugábamos a las cartas y nos divertíamos mucho.

—¿Mucha gente ha conocido usted, por lo visto?

—Conocía a los padres del ex-presidente Marco Vinicio Cerezo Arévalo, a su papá del licenciado y a la señora, que siempre han vivido allí por el templo del Sagrado Corazón Expiatorio, antes le llamaban Barrio de la Libertad. Le cuento que en una oportunidad andaba haciendo un mandado por Mixco, cuando me llamaron y me dijeron que una señora me quería conocer; era nada menos que doña Raquel Blandón de Cerezo, esposa del presidente, y me regaló veinte quetzales. Eso fue cuando Vinicio era presidente.

—¿Ha caminado mucho?

—Conozco El Salvador y algunos departamentos de la República, y le cuento que tengo 75 años de cargar en la procesión del señor de Esquipulas para Semana Santa, mi padre Celestial me ha permitido hacerlo y cada año voy hasta que El lo permita.

—¿Conoció a don Rosendo Ruby?

—Como que no, él murió cuando la bulla del 20 de octubre de 1944, cuando botaron a Ponce.. Era un buen hombre y marranero de los de antes, creo que una de las bombas que lanzaban de la

LA CALLE DONDE TU VIVES

Guardia de Honor cayó en su casa y allí fue la desgracia.

—¿Qué piensa de la vida actual y sus cambios?

—Todo muy malo, hoy se gana más pero todo muy caro y sobre todo la delincuencia desatada, mucho ladrón, de los cuales no me he salvado; no hay respeto para nadie. Por eso hasta que no se fusilen a unos cuantos esto no para.

—¿Recuerda algún fusilamiento en especial?

—No me gusta eso, pero a veces es necesario, como en el caso de Miculax, cuando lo fusilaron en el paredón del Cementerio, en tiempos del Dr. Arévalo, hicieron muy bien por las canalladas que este pobre criminal hizo con los pobres patojos. Si no hay un castigo, la cosa sigue igual y no hay derecho para que la gente honrada pague el pato de tanto criminal. También recuerdo el fusilamiento de Guayo Felice, Blanco y Asturias, eso ya fue en tiempos de Ubico, por el crimen de la 9a. avenida, fue también muy mentado, aunque ellos murieron diciendo que eran inocentes.

—¿Nos permite una última fotografía?

—Claro que sí, a mí me gusta que me tomen fotos...

—¿Una con sus medallas y su rosario, por favor?

—Como no, con mucho gusto...

Así finalizaba una entrevista con Gabriel García Reyes, no sin antes contarnos que había tenido su esposa, que se llamaba Leticia López, con quien tuvo 6 hijos, ya todos fallecidos, y que solamente le queda un hermano que vive en la Pedrera. Nos despedimos de Emilio Flores por su gentileza y atenciones, y antes de abordar el auto nos llama porque Gabriel García Reyes, el legendario "Caballo Rubio", nos iba a dar la bendición, gesto que agradecimos muy formalmente.

Gabriel García Reyes es el nombre completo del legendario "Caballo Rubio", típico personaje de la ciudad, creemos el último que queda de una época romántica. En la gráfica, Gabriel muestra sus reliquias religiosas que siempre lleva consigo. (Foto Héctor Gaitán A.)

ANECDOTAS DE LA FARANDULA DE AYER

Los terremotos de 1917-1918 que asolaron a la ciudad de Guatemala, el apuro económico, el hambre que azotó al pueblo, no fueron obstáculo para que el guatemalteco buscara un poco de diversión sana que afloró a principios de siglo. Hasta el alfarero más humilde compraba su galería para asistir al teatro. Bueno, eran otros tiempos, sin la transculturación que hoy se vive y que mina a esas esferas. Cuentan que era usual escuchar a los albañiles tarareando o silbando algún pasaje de las zarzuelas que en el Teatro Colón se presentaban. La cultura brotaba a raudales por los poros del pueblo, las compañías españolas y de otros países europeos, eran subvencionadas por el gobierno con el fin de que aquellos espectáculos llegaran al pueblo y no a una pequeña élite.

Después de los terremotos aludidos, había de empezar de nuevo, con el proceso cultural, específicamente con el teatro, que era la pasión de los chapines. Hubo un grupo de jóvenes de "por la Parroquia", que le calentaron la cabeza al padre de la Candelaria, para que les permitiera instalar un escenario en el predio de la casona semidestruida de la esquina opuesta al templo católico. Hoy 1a. calle de la ciudad y Avenida de la Candelaria. Los de la idea eran muchos soñadores del barrio, sobresaliendo una bella joven que ya había hecho sus tanes en el escenario del Teatro Colón, en las veladas escolares de la época. Su nombre ha quedado grabado para siempre como gran maestra de muchas generaciones y como notable artista guatemalteca, su nombre: María Luisa Spillari. También por el rumbo se aparecía un muchacho moreno, delgado, inquieto y soñador, romántico empedernido y para más señas estudiante universitario. Aquel joven ya escribía poemas, a la vez que incursionaba en el periodismo, todos le decían "Moyas" por apodo, pero su nombre era Miguel Angel Asturias. Aunque la idea de hacer teatro no convencía mucho al padre Herlindo García, éste finalizó cediendo a la presión de "Moyas" y hasta colaboró a la construcción del escenario en el segundo patio de la casona, el que fue colocado sobre un enorme lavadero y su pila.

El padre Herlindo, ya envenenado con el gusanillo del teatro y la algarabía de los jóvenes, continuó con la construcción de lo que sería la taquilla que fue levantada en menos de lo que se reza un Ave María. El dinero que se recaudara de las funciones sería para la reconstrucción del templo de la Candelaria, que había sido severamente golpeado por los sismos. En algunas ocasiones las misas al aire libre -en el momento adecuado- sirvieron para promocionar la función de la tarde y hacer conciencia entre lo feligreses de asistir al teatro improvisado y a la vez ayudar a la reconstrucción de la iglesia. Jamás imaginó el padre Herlindo que "Moyas", el que le ayudaba a clavar las láminas de lo que posteriormente fuera la taquilla, sería con el devenir del tiempo EL SEÑOR PRESIDENTE DE LAS LETRAS HISPANOAMERICANAS y que en Estocolmo, un 19 de octubre, a muchos años de distancia, recibiría el PREMIO NOBEL DE LITERATURA.

La funciones se realizaban los domingos de dos a cinco de la tarde, aprovechando la luz del día, ya que la ciudad se había quedado sin luz eléctrica debido a la catástrofe sísmica, pero cuando oscurecía temprano, el chapinísimo ocote hacía la luminotécnia. Una tarde se asomó por el barrio un inquieto muchacho, conocido de los del grupo, se llamaba Alberto de la Riva; él fue quien motivó a las hermanas Spillari, María Luisa y Angela, para organizarse en compañía "profesional". Al llamado acudieron José Gregorio Aparicio y Belisario Escoto, y todos dieron su aprobación al proyecto que inmediatamente se puso en marcha. Era el 15 de abril de 1918 y nacía en el barrio de la Parroquia El Grupo Artístico Nacional. Posteriormente llegaron otros elementos, que se agregaron al grupo, siendo ellos el licenciado Ernesto Viteri y Julio Gómez Robles, Josefina Castillo, Francisco Brewer, Eduardo Barbier, Augusto Monterroso (El Chato), Humberto Antillón, Vicente Polanco, José Luis Andreu (más tarde casado con María Luisa Spillari), Mariano González, Bernabé Muñoz, Ofelia Peralta, María Luisa Aragón, Herminia Morgan, y otros más que con su actuación colaboraron a escribir la historia del teatro de Guatemala.

PARTE DE UN POEMA QUE MIGUEL ANGEL ASTURIAS DEDICO A MARIA LUISA DE ANDREU EN 1918

El poema de Miguel Angel Asturias constituye hoy una reliquia literaria de gran valor; fue escrito en el año de 1918 y dedicado a la máxima figura del teatro de la época, cuando los aplausos se prodigaban a la gran artista. Momentos de apuros para los tramoyistas, que tenían que levantar varias veces el telón, por los aplausos que el "respetable" le brindaba. Muchos años más tarde doña Güicha, o "Mamá Güicha" como cariñosamente le llamábamos, nos contó del poema. Para avalar lo dicho nos lo muestra en el amarillento papel; como firma responsable claramente se lee: *Miguel Angel Asturias, 1918.*

—Es para vos, Güicha— me dijo extendiendo la mano, y me mostró el poema, que a 56 años de distancia conservo con mucho cariño y leo de vez en cuando.

Comentaba doña María Luisa, que en cierta ocasión otros de los muchachos de aquel tiempo, el periodista y escritor Gustavo Martínez Nolasco (El Pajarote) se lo pidió para publicarlo. El tiempo fue pasando, don Gustavo falleció y únicamente pudo recuperar la segunda parte del poema, que hoy cobra relieves de reliquia literaria, por haber sido escrito por nuestro Premio Nobel de Literatura, en sus años mozos, segunda parte que hoy publicamos:

CANTA, NO DEJES DE CANTAR

No dejes de cantar,
que el cantar con tan dulce melodía,
remedas lo que dicen en la tarde
al besarse la noche y el día...

No dejes de cantar,
por Schubert que en espíritu suspira
en tu acento que sabe remedar
el murmullo apacible de una lira...No dejes de cantar

No dejes de cantar,
por Mussett y su pálida Lucía,
no dejes de cantar que muchos besos,
en tus cantos se esconden todavía.

Canta, canta,
al llorar esa guzla, guzla rítmica
muchas almas quizás se están besando
y hay de amor muchos seres abatidos.

Cuando cantas:
va una novia llorando al camposanto,
dormida una guitarra ya no gime

y muérese un nostálgico poeta
en el borde silente del camino.

Cuando cantas,
tú no sabes tal vez que nos agobias
que nos haces luchar y amar de nuevo,
recordándonos besos de las novias
que juraron mintiendo en el festín.

Cuando cantas,
los latidos se arrecian y las almas
se expanden abatidas,
sentimos aleteos en la frente
y caricias de besos en los labios.

Cuando cantas tal vez sin ser ingrata
nos haces olvidarnos del destino
y que hay amigo al que al amigo mata
perdido en la emboscada del camino.

Canta,
no dejes de cantar
con ese ensueño de cítaras que tienes,
la noche está silente, está divina.

Canta, canta,
que Arlequín va a templar su mandolina...

Miguel Angel Asturias
Guatemala 1918

María Luisa Spillari v. de Andreu (Mamá Güicha), sin duda alguna una de las más grandes artistas que ha dado Guatemala. En la gráfica aparece con el autor de este libro, periodista Héctor Gaitán , quizás la última fotografía que le tomaron meses antes de su fallecimiento, en un acto donde fue galardonada por sus méritos artísticos, en el salón de banquetes de Palacio Nacional.

97

HISTORIA DE UNA FOTOGRAFIA

Uno de los inventos maravillosos del hombre lo constituye la fotografía, en ese pedazo de papel que frena el tiempo, según lo demanden las circunstancias, es feliz o triste, histórico, romántico o tierno, cualquier faceta de la vida queda allí impresa para siempre. La fase inicialmente radial y posteriormente literaria de *La calle donde tú vives*, nos ha hecho conocer a gran cantidad de personas, ya por una entrevista, ya por colaboraciones o donación de fotografías antiguas. También cabe decir que cuando se tocan temas escabrosos de nuestra política, surge la polémica o la publicación de la carta "aclarando los datos". En los inicios del programa radial en la ya desaparecida Voz de Las Américas, en cierta oportunidad tocamos el tema relativo a las anécdotas presidenciales, actos a veces personales de los ex mandatarios de Guatemala y que tuvieron resonancia. En ese tiempo el grabador del programa era Juan Alberto Escobar (Juanito), y como buen profesional de las tornamesas tenía el puente exacto al tema que habláramos o comentáramos. Recuerdo que Juanito siempre colocaba el puente de la Granadera, cuando de este tema se trataba y la musicalización le daba cierto toque al tema. Bueno, pues hablamos del licenciado don Manuel Estrada Cabrera, ex presidente de Guatemala, fue un toquecito nada más, sin llegar a una crítica profunda, y ahí quedo todo. El programa pasó como de costumbre, hubo llamadas telefónicas de felicitación y otras con las críticas de siempre, que salen a flote, críticas que son muy comprensibles, ya que lo escuchaba mucha gente y existían diversidad de opiniones.

Al otro día, cuando leíamos la correspondencia, llegó hasta el departamento de grabación Lázaro, un hombre cuarentón, originario de Zacapa, que laboraba como guardián de la emisora; con un poco de pena se acercó hasta donde estábamos con Juan y nos dijo:

—Como que lo busca un señorón, que parece viene bien caliente (enojado). Las palabras de Lázaro bastaron para que como un resorte nos levantáramos y fuéramos al encuentro del personaje en mención.

La fraseología oriental de Lázaro la entendimos al

momento, al indicarnos que el señorón venía "caliente", es decir, enojado y consecuentemente llegaba a hacer alguna aclaración respecto a lo dicho la noche anterior. Aplicando los principios de las relaciones humanas, le recibimos con una sonrisa de artistas de televisión, la cual no ablandó al personaje. Era este un hombre alto, elegantemente vestido de gris claro, con su impecable sombrero en la mano, camisa blanca, corbata y relucientes mancuernillas, pero eso sí, muy culto a pesar de su imponencia. Inmediatamente después de los "buenos días", preguntó por Héctor Gaitán y por Juan Escobar. Nos vimos las caras con Juanito y tomando la iniciativa nos pusimos a la orden. El hombre fue cambiando radicalmente y su rostro se tornó amable, para rematar en una carcajada que no pudo disimular.

—¿Pero usted es don Héctor Gaitán y usted don Juanito? Créanme, pero pensé que eran un par de viejos amargados de aquellos lejanos tiempos, que andaban hablando mal de mi padre. Yo soy MANUEL ESTRADA CAJAS, hijo del ex presidente don Manuel Estrada Cabrera, y quiero hacer algunas aclaraciones en torno a lo que se comentó anoche en el programa; hay razón para que les cuenten historias deformes, pues son ustedes puros pollos.

don Manuel nos abrazó fuertemente y de allí nació una gran amistad. Posteriormente conocimos a su hermano, el culto caballero don Carlos Estrada, quien colaboró con datos históricos en la elaboración del programa y con quien también nos unió una entrañable amistad. Don Manuel rompió lanzas con varios periodistas y escritores, quienes por una u otra razón tocaban temas del régimen cabrerista de principios de siglo, y lógica era la actitud de don Manuel Estrada Cajas al defender la memoria de su padre, ya que cualquier hijo bien nacido lo hace. Le dimos la razón, aunque en muchos aspectos nunca estuvimos de acuerdo con su exposiciones y razonamientos en torno al hombre que gobernó dictatorialmente a Guatemala por espacio de 22 años.

Una de nuestras aficiones ha sido la de coleccionar fotografías antiguas y como ya teníamos regular cantidad de fotos, montamos la exposición gráfica "La calle donde tú vives", pero antes de la exposición le suplicamos nos diera algunas fotos de la caída del régimen de su padre; me llamó y nos invitó a su casa para mostrarnos algunas condecoraciones y después de charlar largamente nos despedimos y dijo:

LA CALLE DONDE TU VIVES

—Guarde esta fotografía, es histórica, se la obsequio, ahí estoy con mis hermanos y mi padre el día de su derrocamiento.

La foto es nítida y hoy la publicamos en esta obra. Don Manuel se nos perdió de vista y días después hablamos por teléfono para ponernos de acuerdo en los nombres de las personas que aparecen en la gráfica. Siempre quedamos de reunirnos en algún lado, pero el tiempo fue alejando la cita y dejando para otra ocasión el pie de grabado. Posteriormente, supimos que don Manuel había marchado a Europa para visitar a su hijo, prominente médico que radica en Roma y definitivamente aplazamos la entrevista hasta nueva oportunidad. El sábado 28 de septiembre de 1974, comentando las fotografías y haciendo algunas correcciones, vi la que me obsequiara don Manuel Estrada Cajas y llegó a mi mente el famoso pie de grabado, nombre que en los medios periodísticos se le da a la leyenda que en la parte de abajo llevan las fotos.

No sé porqué motivo me concentré en el amigo ausente en ese momento y hacía el cálculo del cambio de hora tan radical de Guatemala a Roma; mientras quizás don Manuel apreciaba la caída de la tarde, nosotros a manera de refrigerio tomábamos un desayuno. Siguió el comentario en la mesa de la cafetería. Olga hizo un examen pormenorizado del vestuario de las damas que aparecen con el ex presidente en la foto: Una sobrina, su hermana y sus hijos. Al filo del medio día, después del noticiero, nos quedamos escribiendo toda la tarde en las oficinas de redacción de Estudio Abierto. Por el amplio ventanal que da al sur de la ciudad se apreciaba cómo la lluvia caía a torrentes; la despedida del "Fifí", pensé. Saqué nuevamente la foto y el material del libro, los folios ordenados y numerados ya casi listos para llevarlos a la imprenta. Cómo me hubiera gustado que en ese momento entrara don Manuel y hacerle una entrevista final para el libro. Después de algunas anotaciones con la ayuda de la bibliografía en el pequeño tema "Muerte de Estrada Cabrera en cautiverio" se me pasó la tarde, cerré el folder y dejé el edificio de la zona 9 para releer los textos en el café de la 6a. avenida y hacer las últimas correcciones. En la mesa del fondo, había algunos periodistas y un poeta. Mientras Archibaldo discutía el paradero de Mélinton Salazar en América del Sur, los otros realizaban una "crítica analítica" a los escritos de Chepe León, de su página juvenil, relacionados con la revolución de octubre de 1944.

Héctor Gaitán

La charla se prolongó hasta la diez de la noche, en aquella mesa se arregló el mundo, se "quitaron y pusieron presidentes" en medio del café y humo de cigarrillos. Cuando los muchachos tocaron el tema de la inflación, optamos por una "honorable retirada" rumbo al descanso. Doña Isabel ya tenía envueltos los periódicos al pasar por su puesto de la 12 calle, frente al extinto "Casa Blanca". Era a la única persona que no se le podía contestar el consabido: "Mejor la pase usted", cuando ella daba las buenas noches. Doña Isabel dormía a la intemperie, tapando su pobreza con periódicos y papeles viejos. Años más tarde fue asesinada por drogadictos, allí donde tenía su hemeroteca ambulante.

No se por qué impulso inexplicable, encendí la luz interna del automóvil para hojear los titulares del periódico; siempre lo hacía hasta que llegaba a casa. A un lado de la carátula del diario La Hora, a tres columnas, Clemente Marroquín escribía:

!MANUEL ESTRADA CAJAS MURIO EN ROMA!

La lluvia seguía cayendo sobre la ciudad, enfilamos por la 12 calle rumbo al poniente. Sólo el parabrisas con su monótono sonido rompía el silencio de la noche y como mudos testigos, en fila india sobre la calle, los semáforos sincronizadamente se fueron apagando. Con don Manuel jamás llegamos a un acuerdo para la elaboración del texto del comentado pie de grabado, de una fotografía dos veces histórica.

Esta es la histórica fotografía que nos absequiara don Manuel Estrada Cajas y que quedó sin el pie de foto, que con su ayuda íbamos a escribir. Amablemente su hermano don Carlos Estrada, ya fallecido, nos dio los datos de la gráfica. En la fotografía, de pie, todos los hijos varones del ex-presidente Estrada Cabrera, con excepción de la señora que figura en el centro, doña Sara Cabrera de Berríos, sobrina suya y del caballero que aparece al final del lado derecho, que fuera don Eduardo Petter, hijo adoptivo del ex-mandatario. Sentados, al centro, el licenciado Estrada Cabrera, que tiene a su derecha a su sobrina política, doña Inés de Hidalgo Cabrera, y a su izquierda a su hermana, doña Elvira Estrada Monzón. Esta foto fue tomada en al Academia Militar, el siguiente día del tratado de paz celebrado el 15 de abril de 1920 entre el gobernante y los dirigentes del Partido Unionista, ante el Cuerpo Diplomático, cuyos términos, según don Carlos Estrada, no fueron cumplidos por los unionistas. En ese momento el ex-presidente Estrada Cabrera, prácticamente, ya estaba detenido por las nuevas autoridades que gobernaban al país.

LAS LUCHAS DEL PUEBLO EN SUS CALLES

Alguien dijo que las calles de Guatemala bien pueden llevar el nombre de muchos de los mártires caídos en ellas por algún ideal. Han caído tantos ingratamente, que hasta el callejón más insignificante llevaría el nombre de un mártir que ofrendó su vida en alguna de las luchas cívicas que se han librado desde la revolución de 1871 hasta nuestros días. Una de las revoluciones más sangrientas que se han registrado en la ciudad de Guatemala fue la del año 1920 y que protagonizaran los miembros del Partido Unionista, al lado del pueblo de Guatemala, en contra de la dictadura del licenciado don Manuel Estrada Cabrera, quien ya para ese año de 1920 cumplía 22 años de estar en el poder. El licenciado Estrada Cabrera había llegado a la presidencia de la República a raíz del asesinato del presidente, general don José María Reina Barrios, siendo Estrada Cabrera el primer designado a la presidencia, puesto que hoy ocupa practicamente el Vicepresidente de la República. Momentos después del crimen se presentó a la asamblea con la constitución en la mano, exigiendo se cumpliera con la ley. A pesar de la resistencia de algunos militares de alto rango, que no vieron con buenos ojos la actitud del profesional, éste tomó posesión de la presidencia de la República en los momentos más difíciles que pasaba Guatemala, dada la situación imperante.

El licenciado Estrada Cabrera gobernó a Guatemala bajo una dictadura férrea de 1898 a 1920, cuando fue derrocado del poder, después de violentas luchas callejeras. Fueron ocho días duros para los chapines de la época. Se luchó en la Parroquia y en Matamoros, a inmediaciones de la Palma y en la 18 calle, en el Calvario y en las cercanias del Castillo de San José, Plaza de Armas y en Santa Cecilia. Hemos guardado un documento que hoy publicamos por su valor histórico: es la renuncia a la presidencia de la República del licenciado Manuel Estrada Cabrera, la cual textualmente dice:

Guatemala, 14 de abril de 1920

Augusta representación nacional:

En el deseo de restablecer el orden constitucional sin

105

mayor efusión de sangre, vengo a presentar ante la consideración de la Asamblea Nacional Legislativa, la formal renuncia que hago de la presidencia de la República. Decídeme a ello, el patriótico afán de evitar responsabilidades ante peligros de trascendencia, que se dejan adivinar al través de las pasiones políticas hoy en lucha. Al retirarme voluntariamente del poder hago votos porque los elementos de guerra, que durante mi administración se han adquirido para la defensa de la soberanía nacional, no sean utilizados con peligro de ésta. En luchas internas que acaben por entregar al país a la anarquía. Protesto a la augusta representación nacional, mi más alta consideración.

*(f)*_____
Lic. Manuel Estrada Cabrera

MANIFESTACION DEL 11 DE MARZO DE 1920

Un mes antes de la renuncia del presidente Estrada Cabrera, una de las manifestaciones más concurridas que jamás se haya observado en Guatemala, sería el prólogo del derrumbamiento de la dictadura cabrerista. Concurrida, por no decir multitudinaria esta manifestación, si tomamos en cuenta el número de habitantes que había en la ciudad de Guatemala en el año de 1920. Dicha manifestación salió de la casa del partido situada en la 12 Calle y 4a. Avenida, actual zona 1, rumbo a lo que era la Academia Militar, posteriormente Escuela Politécnica. Cuando la multitud se aglomeró frente a dicho edificio, sonaron los primeros disparos, algunos huyeron, pero la mayor parte del pueblo estoicamente resistió la acometida. Allí cayó la primera víctima de aquellos sucesos: Benajamín Castro, un obrero que desfiló la memorable tarde, demostrando su descontento hacia la dictadura cabrerista. Días despues estallaría en la ciudad de Guatemala uno de los más sangrientos movimientos bélico-políticos que se hayan visto en sólo ocho días. Fueron ocho días con sus noches de intensa lucha en las calles de la ciudad, con su cauda de muertos y heridos, así como desaparecidos.

Momentos después de haber sido derrocado, fue detenido y llevado de la casa presidencial, situada en la finca "La Palma" (hoy zona 5), a la Academia Militar (Escuela Politécnica) de la Avenida de la Reforma. Posteriormente, sus hijos alquilaron una casa en la 10a. Calle y 3a. Avenida de la hoy zona 1, misma que le sirvió de cárcel hasta el momento de su fallecimiento, cuatro años más tarde. Hay datos muy importantes que deja a la posteridad el ex mandatario guatemalteco, como por ejemplo, en el escrito de su defensa, publicado en el mes de agosto de 1923, donde hace comentarios del inicio de la lucha armada:"... Llegó inmediatamente el 8 de abril de 1920 y con él los otros acontecimientos que dieran margen a la lucha armada, que estaba bien preparada y que fue iniciada por los revolucionarios, en la misma tarde de aquel día, con la sublevación del cuartel número tres de infantería, que siguió el ataque simultáneo en las primeras horas (cinco de la mañana) del día nueve siguiente, a los fuertes de Matamoros, San José y la Palma (residencia presidencial), donde tenía su asiento el cuartel general.

No obstante hallarse ya emprendida la reyerta, con la tremenda ofensiva de parte de los revolucionarios, se hizo por mí el último intento y desesperado esfuerzo para cortar y evitar la lucha fratricida y el derramamiento de sangre preciosa que era de hermanos también. Para este tan laudable fin, se provocó y llevó a cabo una conferencia con el honorable cuerpo diplomático, quien por medio de tres de sus importantes miembros y como lo expresé antes, estuvo gestionando en pro de los presos revolucionarios que se hallaban procesados por el respectivo tribunal militar que estaba próximo a juzgarlos".

Aun cuando esto es sólo el inicio de aquel legajo de la defensa que el propio ex presidente realizó, el resto es digno de conocerse y analizarse objetivamente. Como se indicó al inicio, el licenciado Estrada Cabrera falleció en cautiverio el 24 de septiembre de 1924, en la ciudad de Guatemala. Posteriormente, sus hijos le sepultaron en la ciudad de Quetzaltenango, su tierra natal, en el cementerio general de la ciudad altense.

Multitudinaria manifestación del 11 de marzo de 1920, pasando por la 7a. avenida, donde hoy está el Centro Cívico de la ciudad de Gluatemala.

EL SUEÑO REALIZADO
DE UN GENERAL

Cuando entró al despacho presidencial el licenciado Rivitas, respiró profundo para adivinar de qué talante había amanecido el general don Jorge Ubico, presidente constitucional de la república de Guatemala.

—Buenos días, señor presidente— saludó.

El hombre estaba sentado apreciando una postal que le habían enviado de Salamanca, España. Parsimoniosamente dejó en el cenicero el infaltable cigarrillo y contestó al profesional:

—Esto es más o menos lo que yo quiero, vea esta postal.

Rivitas vio la postal y como no se le podía contrariar al mandatario, asintió con la cabeza dando su aprobación, agregando:

—¡Bello edificio, señor presidente!

Ubico aspiró profundamente el cigarrillo y de inmediato dio la orden para que se convocara a una reunión urgente con los ingenieros y arquitectos que Rivitas tenía en una lista. El licenciado Rivas dio media vuelta y antes de llegar a la puerta del despacho fue llamado de nuevo por el presidente.

—Ahhh, por favor llámeme por aparte a Bickford, dígale que llegue antes.

Ubico estaba de buen talante, era el verano de 1936. Ya por aquel tiempo el general presidente había rechazado los planos de uno de los arquitectos, por parecerle el proyecto un tanto modernista y que no cuajaba con el sector colonial de la ciudad que estaba conformado por el Palacio Arzobispal, la Catedral Metropolitana, el Colegio de Infantes y el viejo Portal del Comercio. El general Ubico conocía perfectamente la trayectoria histórica de los palacios de Guatemala, desde el viejo Palacio de los Capitanes General, que estuvo situado en el hoy Parque Centenario, hasta el bello palacio, llamado de Reinita, ambos derribados por los terremotos de 1917-1918. Sonrió cuando recordó la efímera historia del Palacio del Centenario, llamado también por el pueblo como

Héctor Gaitán

"El Palacio de Cartón", un edificio construido a la carrera, para las celebraciones del centenario de la Independencia de Centroamérica en el año de 1921. Y en realidad Guatemala urgía de un palacio nacional con todas las de ley, un edificio que perpetuara el nombre del general Ubico.

Su estilo es del renacimiento hispano del siglo XVI, con algunas variantes mocionadas por el propio general Ubico, pero de un gusto extraordinario y exquisito según los conocedores en la materia. Entre los artistas guatemaltecos que participaron en su construcción se encuentran: Rodolfo Galeotti Torres, en la elaboración del tallado de escudos en piedra de Totonicapán; en los bellos vitrales deja su huella inmortal don Julio Urruela, así como en los frescos de la entrada se manifiesta el pincel del notable artista Alfredo Gálvez Suárez. Y así como el paso de estos grandes personajes del arte en Guatemala, recogemos nombres como Carlos Rigalt y tantos obreros y albañiles que también pusieron su grano de arena. Ebanistas, carpinteros y herreros calificados de una época cuando todo se hacía bien y no improvisado. Todo aquel equipo humano, estaba bajo la dirección del proyecto original del Ingeniero don Rafael Pérez de León y don Enrique Riera, profesionales de gran mérito en aquellos tiempos, cuando tan magna obra en su costo no sobrepasó los dos y medio millones de quetzales no devaluados. Y decimos no devaluados porque en aquel tiempo el dinero nuestro valía lo que pesaba. La elegante obra verde claro del Palacio Nacional se cimenta sobre una área de 8,890 metros cuadrados y de oriente a poniente mide 127 por 70 metros. Su altura máxima en el frontón principal alcanza 30 metros, casi la misma elevación que tienen las tòrres de las esquinas, las cuales rematan el cuarto piso del edificio.

Dicha construcción se inicia el 4 de Julio de 1939, siendo inaugurada la mañana del 10 de noviembre de 1943, justo el día del cumpleaños del presidente Ubico. La obra tardó en culminarse cuatro años y el general Ubico celebró su natalicio número 65 con aquella obra, que al margen de ideas políticas le inmortalizaría. La mañana de la inauguración había mucho movimiento en los alrededores del Parque Central, así se le llamaba antes a la actual Plaza Mayor; el intendente municipal (no había alcalde electo), ingeniero don Arturo Bickford, corría de un lado a otro observando los últimos detalles, aunque todo estaba terminado en aquella bella obra en la que él tambien tomó parte activa.

LA CALLE DONDE TU VIVES

Sin lugar a discusiones, uno de los gobernantes guatemaltecos que más obra física dejó fue el mencionado presidente. Pensó en los puntos más urgentes: Aeropuerto, Aduanas, Policía Nacional, Correos y Telégrafos, mercados y otros edificios que sería largo enumerar, pero aún permanecen dando servicio después de medio siglo de haber sido construidos. Pero faltaba algo, ese algo especial que sería la fase de la colminación de obra física: El Palacio Nacional. Y vaya si no fue la finalización de su obra, ya que únicamente disfrutó de su estancia en el palacio 8 meses, si se toma en cuenta que los movimientos populares del mes de junio de 1944 le obligaron a presentar su renuncia el 1 de Julio del mismo año. Para las nuevas generaciones, indicaremos que el predio donde hoy se levanta majestuoso el Palacio Nacional de Guatemala, cuadra comprendida sobre la 6a. Calle entre 6a. y 7a. Avenida de la Zona 1, estuvo instalado el Noble Ayuntamiento durante la época colonial, el que fue conocido popularmente como "El Portal del Señor", inmortalizado en notable prosa por nuestro Premio Nobel Miguel Angel Asturias, en su obra *El Señor Presidente*.

Con la demolición de dicho edificio en el año de 1916, el predio quedó limpio hasta la construcción del Palacio Nacional, trabajos que se iniciaron en 1939, como ya se indicó, durante la gestión administrativa del general Ubico. En el año de 1921 en el predio mencionado, la colonia china residente en Guatemala construyó una pequeña pagoda, como un regalo al pueblo chapín con motivo de las celebraciones del centenario de la Independencia de Centroamérica. Aquella pagoda con el tiempo se deterioró y posteriormente desapareció para siempre, dejando una vez más el predio limpio. Al llegar a la presidencia el general Ubico, le echó el ojo al predio para la obra que acarició desde que llegó al poder, obra que felizmente culminó dejando a la posteridad un bello edificio, catalogado hoy como patrimonio histórico de la ciudad de Guatemala. Para escribir sobre esta bella obra arquitectónica no basta reseñarla en pocas cuartillas, porque la letra no llega jamás a tener el impacto de conocerla físicamente, pero justo es nombrar a grandes personalidades que dieron su aporte en el arte y conocimientos profesionales a que fuera una hermosa realidad.

En la fecha hoy recordada, 10 de noviembre de 1943, miembros del Partido Liberal Progresista organizaron un desfile con carrozas que salió del Parque Morazán y finalizó en el Parque Central. Había algarabía en el pueblo guatemalteco por el estreno de aquella magna obra, se reconocía la labor del mandatario que en 14 años de gobierno epilogaba su gestión, sin proponérselo, con la culminación del Palacio Nacional. Qué lejos estaba de pensar el general Ubico que su estancia en dicho palacio sería breve, tomándose en cuenta que las turbulentas aguas de la política criolla se desbordarían ocho meses más tarde, llevándose en aquel desbordamiento al último general de la era liberal, proceso que se había iniciado en el año de 1871. El resto fue cuestión de meses, con el derrocamiento del general Federico Ponce Vaidez, continuación de dicho régimen y que cayó al influjo de la revolución del 20 de octubre de 1944.

Frontispicio del Palacio Nacional de la ciudad de Guatemala.

Una de las últimas fotografías tomadas al general Jorge Ubico, días antes de la inauguración del Palacio Nacional de Guatemala.

BAUTIZO DE FUEGO DEL PALACIO NACIONAL

Ante la renuncia del general Ubico el 1 de julio de 1944, presionado por los movimientos populares y estudiantiles de ese año, queda una junta militar, que disuelta pocos días después, deja en el poder al general Ponce. En el amanecer del viernes 20 de octubre de 1944, el tablero de metralla alerta a la ciudadanía, anunciando el levantamiento armado del cuartel Guardia de Honor. Los tanques dirigidos por el mayor Francisco Javier Arana toman posiciones estratégicas y uno de los puntos o blancos de ataque es el Palacio Nacional, el que es cañoneado desde diversos puntos de calles aledañas, sufriendo varios impactos en su estructura. Al triunfo revolucionario, toma posesión el gobierno una junta integrada por el civil Jorge Toriello Garrido y los militares Francisco Javier Arana y Jacobo Arbenz Guzmán, cabecillas del movimiento. La junta cumple su cometido y en un tiempo perentorio

113

Héctor Gaitán

convoca a elecciones en las cuales sale ganador el doctor Juan José Arévalo Bermejo, siendo dicho gobernante el segundo presidente constitucional que ocupa el Palacio Nacional.

SEGUNDO ATAQUE ARMADO AL PALACIO NACIONAL

Corre el año de 1949, año difícil para el régimen arevalista, los golpistas se aglutinan para derrocar al llamado primer gobierno de la revolución. Nuevamente el foco rebelde se localiza en el cuartel Guardia de Honor, de donde salen los alzados para atacar el Palacio Nacional. La motivación de aquella revuelta era el asesinato del coronel Francisco Javier Arana, prominente personaje del ejército y Jefe de las Fuerzas Armadas del país. Una vez más se organiza la defensa del Palacio Nacional, responsabilidad que recae en la persona del coronel Jacobo Arbenz Guzmán, lográndose sofocar la rebelión durante varias horas de lucha armada en los distintos puntos de la ciudad, pero especialmente en el ataque al Palacio Nacional. Nuevamente el coloso verde mostraría sus heridas en su estructura frontal, por los impactos de las balas y los obuses de tanques que le dispararon despiadadamente. Impactos que aún podemos observar en las restauraciones que posteriormente hicieron a sus balcones y paredes frontales, hechos poco conocidos por las actuales generaciones, que hoy pasan frente al palacio sin conocer su historia.

TERCER ATAQUE ARMADO AL PALACIO NACIONAL

El 15 de marzo de 1951 asume la primera magistratura de la Nación el coronel Jacobo Arbenz Guzmán. Sería el tercer presidente Constitucional, electo popularmente, que ocuparía el Palacio Nacional; infortunadamente, no culmina su período. En el mes de junio de 1954 las noticias alarmantes de una invasión por el lado de Honduras llegan a la ciudad de Guatemala y una vez más se prepara la defensa de la ciudad y cuarteles, pero especialmente la defensa del Palacio Nacional. El 24 de junio del citado año, "aviones no identificados" atacan algunos cuarteles de la ciudad y específicamente el Palacio Nacional, ametrallando parte de su frontispicio, sin mayores consecuencias, cuando las baterias cincuenta, colocadas en las terrazas del palacio, responden al fuego enemigo. Y para ese momento los sindicatos y partidos políticos afines al gobierno piden armas para defender al gobierno legítimamente constituido del coronel Jacobo Arbenz Guzmán.

Finalmente, el gobierno del coronel Arbenz cae y se sucede una serie de juntas de gobierno hasta dejar en el poder, por medio de un plebiscito, al jefe del movimiento rebelde, coronel Carlos Castillo Armas. Desde esa fecha, hasta el inicio de la década de los ochenta, el palacio nacional sufriría un ingrato ataque terrorista que destruye algunos de los bellos vitrales que dejara don Julio Urruela, los que felizmente han principiado a ser reparados, para perpetuar esas obras de arte que ostenta nuestro palacio nacional.

SI HABLARA EL BALCON PRESIDENCIAL, CUANTO DIRIA

Desde el balcón presidencial se aprecia una panorámica de la Plaza Mayor, sitio de grandes reuniones, desfiles suntuosos y de proclamas políticas de quienes han llegado al pedestal presidencial y después han caído, o simplemente han sido olvidados por el pueblo. Lugar de emociones y lágrimas, alegrías y tristezas, donde el panorama se ve distinto desde arriba. Quinces de septiembre de grata recordación para quienes saborearon la "guayaba", dicho en buen chapín; brindis en el salón de banquetes o aceptación de cartas autógrafas en actos diplomáticos en el otro salón cercano. El Palacio Nacional de la ciudad de Guatemala, en su cuarenta y ocho aniversario, no sólo ofrece para las nuevas generaciones un edificio digno de conocerse, de analizar sus bellezas internas, su arte en hierro forjado, sino también un anecdotario histórico profundo que no cabe en tan pocas cuartillas. Desde los grandes personajes que han visitado tan magno edificio, como la visita que le hiciera al general Ubico la primera dama de los Estados Unidos, Sra. Eleonor Roosevelt, pasando por la visita de los reyes de España, en la época del general Laugerud, hasta la visita de Su Santidad Juan Pablo II, primer Papa en al historia que llega a nuestro país.

Y en anécdotas muchas, muchas como la del Ministro "Capirucho", uno de los jóvenes funcionarios de la época arevalista, chiquilín consentido del hombre de Taxisco. Anecdotario de espantos y aparecidos, como el caso sucedido el 14 de junio de 1946, cuando un hecho pasa a formar parte de la historia insólita del palacio nacional y que aún es comentado.

Héctor Gaitán

Inexplicablemente, en la fecha anotada, se desprende un adorno de mampostería del cielo del salón de recepciones, ante el asombro de un joven oficial que en ese momento fumaba un cigarrillo. Horas más tarde, el mismo oficial se entera del fallecimiento del general Ubico, allá en las tierras de Lousiana, concretamente en la ciudad de Nueva Orleáns. La tradición oral guatemalteca no ha perdonado al palacio nacional y brotan en sus pasillos, en sus corredores y jardines, mil anécdotas; como la del soldadito que, recién llegado al palacio, una noche vio la figura de un hombre de mediana estatura fumando plácidamente recostado en uno de los barandales que dan al tercer nivel.

-¿De donde te trajeron vos? A lo que el soldado contestó: -De sija, señor. El hombre del cigarrillo siguió fumando tranquilamente; el rostro casi no se le miraba por el efecto del humo. - Ustedes tienen una gran trayectoria de ser soldados muy valientes, nobles y leales a Guatemala -manifestó el extraño. ¿Ha estado usted por allá? Aunque no creo conocerlo. El hombre del cigarrillo le vio de nuevo y respondió: -Claro que no me has visto, si en ese tiempo ni pensabas en nacer. El soldado tomó confianza y acercándose un tanto más, le preguntó: -¿Y Ud. quién es, pues? El hombre fue terminante en responder: Soy el general Jorge Ubico y ando viendo como andan las cosas por aquí. El soldado se cuadró militarmente ante el personaje sin uniforme, como movido por un resorte. El hombre del eterno cigarrillo camino diez pasos y se esfumó ante la vista del soldado. Cuando comentó el hecho con sus superiores, más de un coronel incrédulo esbozó una sonrisa.

Y así, el anecdotario de la historia menuda del palacio nacional, que hoy llega a sus cuarenta y ocho años, nos ofrece una serie de facetas románticas y de leyenda que bien caben en el libro de los recuerdos, en el libro que aún no se ha escrito, plena y libremente, de todas las interioridades que en tan majestuoso edificio se han suscitado, a través del tiempo y la distancia. Pensamos que cada uno de los ex-gobernantes, constitucionalmente electos por el pueblo de Guatemala y dignos de ocupar el despacho presidencial, nos podrían relatar más de una anécdota, más de un hecho personal que ellos vivieron en los momentos cumbres de su carrera.

Y hablamos de presidentes constitucionales, como don Jorge Ubico, como el doctor Juan José Arévalo Bermejo, el coronel

LA CALLE DONDE TU VIVES

Jacobo Arbenz Guzmán, el general Miguel Ydígoras Fuentes, el licenciado Julio Cesár Méndez Montenegro, el general Carlos Manuel Arana Osorio, el general Eugenio Laugerud García, el general Romeo Lucas García, el licenciado Vinicio Cerezo Arévalo, quienes a su debido tiempo, quizás en sus memorias, tengan mucho que hablar del Palacio Nacional. Dentro de esta breve reseña que no tiene visos de historia, sino simplemente un recordatorio a nuestro querido palacio nacional en su cuarenta y ocho aniversario, hay también luto y lágrimas de este pueblo noble, que de una u otra forma se ha identificado con sus gobernantes, y así recordamos cómo una parte de este pueblo se desbordó cuando fueron repatriados los restos del general Ubico y velados en el palacio nacional, la noche del 13 de agosto de 1963, durante el mandato del coronel Enrique Peralta Azurdia, aunque ya le había antecedido en el acto luctuoso el coronel Carlos Castillo Armas, asesinado en el interior de Casa Presidencial, la noche del 27 de Julio de 1957.

No menos sentido fue el fallecimiento y la velación de quien fuera Vicepresidente de la República de Guatemala, licenciado don Clemente Marroquín Rojas, periodista de altos quilates, que de la llanura se elevó a la primera magistratura de la Nación. Y así como don Clemente, también fue velado en ese recinto el general don Miguel Ydígoras Fuentes, el coronel Guillermo Flores Avendaño, quien fungiera como provisorio en una época de dura pueba política para nuestro país, hasta llegar al más reciente de los presidentes fallecidos y velados en el palacio nacional, el Doctor Juan José Arévalo Bermejo. Nos quedamos cortos en esta semblanza de lo que ha sido el palacio nacional, en su ya casi medio siglo de existencia, obra bella que enorgullece a los chapines por su valor histórico y artístico, donde la huella de muchos guatemaltecos ha quedado indeleble en todos y cada uno de sus rincones, donde el gusto artístico brota. En este cuarenta y ocho aniversario de la inauguración del palacio nacional, un recuerdo imperecedero para todos los que hicieron posible aquel coloso, y salva de 21 cañonazos en su honor porque realmente se lo merecen.

* "El sueño realizado de un General", fue el tema que le dio al autor de esta obra el segundo lugar en el certamen literario organizado por el Comité Pro Festejos del 48 Aniversario del Palacio Nacional de Guatemala. Este trabajo fue presentado en dos entregas, en el prestigiado rotativo "La Hora", los días sábado 2 de noviembre y

Héctor Gaitán

lunes 4 de noviembre de 1991. Por cumplir en este año (1993) el cincuentenario de la inauguración del Palacio Nacional, lo publicamos, junto con las gráficas respectivas que ya son historia. N del A.

A TREINTA AÑOS DEL INCENDIO DEL CASTILLO DE SAN JOSE... YO ESTUVE ALLI

Dejar de mencionar el nombre de Humberto Orellana, en este libro en el cual tocamos levemente el tema de las luchas populares en nuestras calles, sería injusto. Beto ha colaborado en el programa radial "La calle donde tu vives" casi desde sus inicios, y podríamos decir que nos ha llevado de la mano a conocer personas de antaño que han enriquecido nuestro archivo. Por "decires" sabíamos de las andanzas del buen amigo, pero nunca nos había dado oportunidad de una "conferencia de prensa", o de una entrevista exclusiva, como dijera en su época el notable periodista don Federico Hernández de León, pero los nuncas se llegan y al estilo de la más refinada policía represiva, le hicimos "cantar" sin que se diera cuenta, aunque sé decirles que Beto sigue siendo el mismo de "enantes", en lo que a ideas se refiere. Liberal hasta la médula y cuando en algún museo observa la fotografía del general Jorge Ubico, se cuadra y dice muy ufano: ¡A la orden, mi general, como en los buenos tiempos!

Humberto Orellana, cuando laboraba como agente de seguridad en el Aeropuerto La Aurora. (Foto 1972)

Héctor Gaitán

Es domingo, frío, nublado y con posibles lluvias aisladas, como diría el ingeniero con Claudio Urrutia. A una orden de Beto nos sacan de la cama y pluma en ristre aprovechando la ocasión, después de los saludos de rigor y el "¿qué tal siguió de la úlcera?, disparamos la primera pregunta:

- ¿Beto, qué me puede contar de su estadía en el Castillo de San José, cuando fue corneta de órdenes, en tiempos de Ubico?

- Sí, es cierto y es más, estuve en el Castillo de San José para el 20 de octubre del 44, cuando la revolución.

La charla había empezado y Beto encendía un cigarrillo, como queriendo buscar en el humo las siluetas ya perdidas de los treinta años pasados, piensa y de nuevo habla:

-Lo muy menos quiere que le cuente algo de aquel proceso, han pasado tantos años, uno se va poniendo viejo, ya tengo cincuenta años, imagínese.

-¿Por qué se enroló en el ejército?

- Me enrolaron, que no es lo mismo. Resulta que yo cuando era patojo, era mero fregado y en aquel tiempo los padres de familia no se andaban por las ramas para meterlo a uno al cuartel.

La lluvia mañanera arrecia y Beto hace una pausa como para recordar aquellos momentos ya históricos que le toco vivir, en una de las fases más hermosas de las luchas populares que reivindicaron los derechos del pueblo de Guatemala. Otro chupón al cigarrillo y continúa con su relato:

- Corría el año de 1939, yo con otro patojo que le había robado al padre no sé cuantos quetzales, dispusimos huirnos de la casa rumbo a Escuintla; lamentablemente la aventura no tardó mucho. El pisto se terminó y hubo que regresar a la capital. Ese mismo día me encontraba jugando en lo que fue el Parque Navidad y allí me capturó mi madre y nos fuimos a la casa. En ese entonces vivíamos en la 3a. avenida y 20 calle de la hoy zona 1. Al otro día, con engaño me dijo que le acompañara y enfilamos rumbo a la oficina del famoso general Reyes. Creo que todo estaba preparado

120

con antelación, porque dos horas más tarde ya íbamos con la orden camino al castillo de San José. Antes de entrar al castillo, mi madre entró a la tienda de doña Tina, y como haciendo compañia a mi soledad y tristeza, las notas de una canción de un viejo radio llegaban hasta donde estaba. Era la canción "Balalaika", que estaba muy de moda en aquellos años. En ese tiempo (1939) el jefe del Castillo de San José era el general Demetrio Maldonado, siendo el Ministro de la güerra el general don José Reyes. Como lo indiqué al principio, ya todo estaba preparado, porque cuando me llevaron con el jefe de la ayundantía, capitán Salomón Cazali, éste dio la orden a Padilla de "lo que tenía que hacer" ya que iba "recomendado" y la trilogía se tenía que cumplir: Rape, baño y uniforme. Salí pelón y uniformado a colocarme a la fila; era la hora de la "fagina" (almuerzo).

-¡Atención! ¡Firmes, por el flanco derecho, con dirección al primer patio!

- Me fui acostumbrando al ambiente, no quedaba otra, vi los castigos en bartolina de la guardia de baterías, donde se cumplían condenas de un mes a pan y agua. La famosa terraza, donde la iban a tener los jefes y oficiales castigados de "órdenes superiores". Allí estuve cuando el "suicidio" del cabo Arenas en la biblioteca. Total, me familiaricé con todo lo que era mi vida en el cuartel, en ese tiempo de dura disciplina, donde los elementos del ejército (soldados), la tropa, hacía planes para recibir el sueldo mensual consistente en cuatro quetzales.

- El pisto en tiempos del general Ubico parecía de hule, se estiraba y alcanzaba para todo. Recuerdo que los muchachos pedían en ocasiones camisas por abonos. Ya se puede imaginar cuánto se pagaba mensualmente y cuanto podía costar una camisa. Hoy que platicamos del Castillo de San José, viene a mi mente "Tachuela", el encargado de la cochera, el negro Marcial, que era el encargado de preparar el nacimiento para los días de navidad y encargado, a la vez, del adorno del altar de la virgen de Santa Bárbara, patrona de los artilleros. Marcial era sargento de artillería. Todo iba pasando con el correr de los años. Como le repito, me fui acostumbrando a la vida cuartelaria, pensaba que ese era mi destino. Como viéndola en una pantalla, estoy recordando la lista de seis, la orden del día, la visita en el jardín y los toques de diana a las cuatro de la mañana, hora en la cual ya estábamos saliendo rumbo al Campo de Marte para la instrucción militar. Todo iba

Héctor Gaitán

pasando con el correr de los años, los cambios de jefes también se sucedían, conocí personalmente al general Porfirio Carranza, después de Maldonado, y también conocí al coronel Parinelli.

-En ese viejo castillo conocí a una gloria del deporte nacional, como lo fue Efraín de León, conocido en los circulos deportivos nacionales e internacionales como el "Soldado de León". Este hombre con sus botines escribió posteriormente las páginas más brillantes del futbol guatemalteco. Precisamente, por haber salido de aquel cuartel, a Efraín de ahí le venía el mote de "Soldado de León". Después de haber jugado en los equipos militares, pasó directamente al equipo Municipal de la Liga Mayor y allí fue su mejor época, la época de oro de muchos de los grandes del fútbol nacional.

Beto da la impresión de perderse en sus recuerdos, todos relacionados con el legendario Castillo de San José. Viendo hacia un punto fijo, pienso que ve desfilar en su mente un rosario de hechos ya lejanos. Imagino, por ejemplo, los desfiles del día del ejército, cuando el general Ubico los encabezaba montado a caballo, haciendo el recorrido desde el Palacio Nacional hasta el Campo de Marte. Interrumpimos el silencio:

-¿Y que pasó para el 20 de octubre...?

- Desde que estallaron los movimientos estudiantiles del 25 de junio de 1944, se nos dio la orden de dormir vestidos y armados, aunque realmente no creímos que algo anormal fuera a suceder. El primero de Julio renunció Ubico y aún así continuábamos durmiendo vestidos, sin imaginar lo que sucedería más tarde. Tengo muy presente la noche del 19 de octubre del 44, dormíamos en un petate y a la par teníamos nuestro equipo completo. El equipo de artillería: carabina 7 milímetros con cien cartuchos, los de ametralladoras con fusil similar, y con igual número de municiones los de infantería. A pesar del movimiento imperante, no sabíamos absolutamente nada, ignorábamos lo que en la calle sucedía. Esa noche, después del toque de queda, no se tenía que escuchar pero ni la tos de los muchachos, porque aplicaban la ley. Mi pensamiento se sumió en recuerdos lejanos. No sé porqué, imaginé ver a mi madre, recordé cuando pasaba por la 20 calle en mi barrio, rumbo al cementerio general, en algún desfile fúnebre, en mi caballo de nombre "careto", presumiéndole a los muchachos y a mi novia. Poco a poco me quedé dormido, pero no disfruté mucho tiempo de aquella paz que da el sueño placentero cuando la conciencia se tiene tranquila. Yo era un patojo que por castigo había permanecido cuatro años y medio, como corneta de órdenes, en el interior del Castillo de San José; creo que dormité un poco. A lo lejos escuché un sonido sordo y en ese instante la movilización de la tropa. Uno de los compañeros me hizo despertar violentamente. Alguien vio la hora, pasaban 35 minutos de las doce de la noche, principiaba un nuevo día: Viernes 20 de Octubre de 1944.

- Cuando salimos de la cuadra ya el tableteo de metralla se había intensificado en toda la ciudad; por lo menos esa fue la impresión que tuvimos desde la altura del Castillo de San José. Hasta el momento no nos atacaban, veíamos los fogonazos de los disparos sobre la Guardia de Honor, todos estabamos alertas y el puente del foso levantado. Prácticamente estábamos encerrados y apreciando todo desde los torreones y troneras del castillo. No habían pasado ni diez minutos, cuando un tanque hizo fuego disparando al castillo desde la altura de la 12 avenida de la hoy zona cinco, a un costado de donde hoy está el Gimnasio Teodoro Palacio Flores y donde se situaba la famosa ladrillera; allí principiaron los primeros disparos; eran los tanques de la Guardia de Honor. Entre aquel desconcierto alguien gritó: ¡Muchá, desde San Gaspar nos disparan!

-El asunto de ponía fregado, nos disparaban desde la oscuridad y no ofrecían blanco; era difícil pelear en aquellas condiciones. Un tanque abría fuego desde San Gaspar, barrio cercano al castillo; ya se peleaba en toda la ciudad. Horas más tarde, otro tanque entraba a disparar hasta la calzada donde se subía al fuerte, las balas calibre cincuenta hacían estragos en la tropa; no se cuántos eran, pero ya había muchos muertos y aún no amanecía. Hubo algo que hoy viene a mi mente, ingenuamente algunos de los soldados saltaron por la terraza, encontrando una muerte segura al ser blanco de los disparos de las fuerzas revolucionarias; estos eran barridos prácticamente por la metralla y los disparos de fusilería. A las ocho de la mañana las bajas en el Castillo de San José eran alarmantes y el acabóse fue el obús que hizo explotar una pequeña bodega con uniformes, la cual por ser de madera ardió en pocos minutos, apreciándose las columnas de humo gigantescas que se elevaban oscureciendo el contorno. A pesar de aquel disparo certero que no dio en el Santa Bárbara, como se ha dicho, hizo perder la moral de combate de los muchachos. Algunos artilleros aún disparaban con las piezas 105 y las 42, causando algunas bajas entre los revolucionarios. Aquello fue trágico, había muertos por todos lados, cerca de la caballeriza, por el tanque de natación, en el segundo piso, en el pabellón de oficiales, en el primer patio, y muchos destrozos en el segundo patio y en el corredor de oficiales y en el de obreros.

- Yo logré salir un momento que cesó el fuego y amparado con los muchachos que sacaban a la Virgen de Santa Bárbara. Todo estaba perdido, los indígenas de los grupos de los cupos que traían de los pueblos a la fuerza, corrían desesperadamente rumbo al Palacio Nacional, bajo los disparos que llegaban de diferentes direcciones a lo largo de la quinta avenida. Cuando pasé por la calzada, es decir en la entrada del castillo, saltando entre los muertos, identifiqué al negro Marcial; allí estaba tendido boca arriba, acribillado a tiros. Cuando llegué a mi casa mi madre me esperaba con mucha pena. Anteriormente habían llegado otros compañeros heridos de bala que me esperaban. Comentamos los destrozos del cuartel, lo sucedido en el segundo piso y el pabellón de oficiales de infantería, los daños en el primer patio, donde se encontraba la primera batería "Krupp". Mientras, la balacera continuaba en las calles y las ambulancias corrían de un lado a otro recogiendo los heridos.

-Ya para ese momento los revolucionarios habían tomado la Radio Nacional TGW y una sección del Castillo de San José continuaba incendiándose. Ponce ya no daba señales de vida en el gobierno, uno de los muchachos me preguntó por "Fanny", la perra mascota que siempre sacábamos en los desfiles. Por la casa pasaba la gente que prácticamente había saqueado las casas de altos funcionarios, llevando toda clase de prendas; incluso la casa del general Ubico no se salvó del vandalismo. Las mulas y caballos del castillo, así como cerdos y gallinas deambulaban sin control por las "Cinco Calles" y a lo largo de la Avenida Bolívar. Los camiones, repletos de revolucionarios, recorrían las calles levantando sus fusiles en son de victoria. Arbenz, Toriello y Arana, en aquel momento entraban al Palacio Nacional. Eran las cinco de la tarde del veinte de octubre de 1944.

Beto enciende otro cigarrillo y nuevamente se queda con la vista fija en la pared, como queriendo revivir todos los acontecimientos de hace treinta años lejanos. Ya no interrumpí el silencio como al principio de la charla, comprendí la emoción de

Beto y que la plática había terminado.

* Humberto Orellana laboró por muchos años en la Dirección General de Caminos y posteriormente como agente de seguridad del Aeropuerto Internacional "La Aurora". Actualmente se encuentra gozando de la Jubilación correspondiente que le otorga el Estado.

FUERTE SAN JOSÉ.

Frontispicio del desaparecido Castillo de San José. Gráfica del año 1939.

125

INDICE

Este libro se imprimió y encuaderno en los talleres de *Litografías MODERNAS, S.A.*

Guatemala 1995